MZZLmeiden BFF

Over de MZZL*meiden* verschenen:

MZZL*meiden* (deel 1)
MZZL*meiden en de paparazzi* (deel 2)
MZZL*meiden on tour* (deel 3)
MZZL*meiden verliefd* (deel 4)
MZZL*meiden party!* (deel 5)
MZZL*meiden gaan los* (deel 6)
MZZL*meiden in Hollywood* (deel 7)
MZZL*meiden winterlove* (deel 8)
MZZL*meiden geheimen* (deel 9)
MZZL*meiden* BFF (deel 10)
MZZL*meiden 4 ever* (mini-MZZL)
MZZL*meiden beroemd* (verhalenbundel)

Marion van de Coolwijk

MZZL meiden BFF

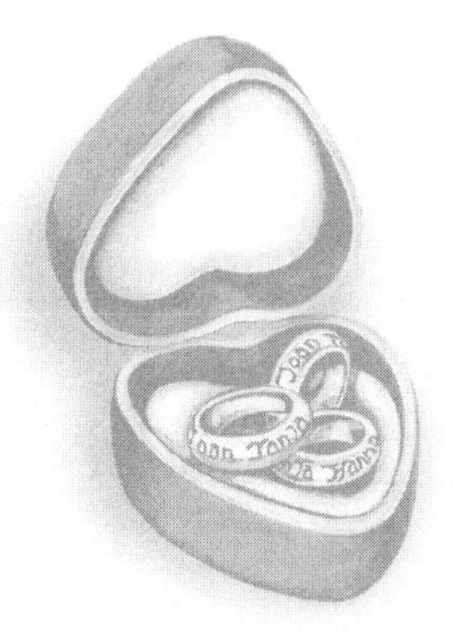

De Fontein

www.defonteinmeidenboeken.nl
www.mzzlmeiden.nl
www.marionvandecoolwijk.nl

Omslagafbeelding: Peter van Duuren
Omslagontwerp: Edd, Amsterdam
Grafische verzorging: Text & Image

ISBN 978 90 261 3459 3
NUR 284

'De enige manier om een vriend te krijgen,
is er een te zijn.'

1

Rustig aan

‘Waar blijf je nou?’ Het was zondagavond en Joan draaide de houten pollepel zachtjes in het rond. ‘De spaghetti is bijna klaar. Je zou om halfzeven uiterlijk thuis zijn en het is nu zeven uur.’

‘Sorry, het spijt me.’ Hanna hijgde. ‘Aansluiting gemist. Ik sta nu op station Bijlmer. De volgende trein komt pas over een kwartier. Ik pak nu de metro. Hou de boel warm. Halfuurtje!’

‘Maar...’ Verder kwam Joan niet. De verbinding werd verbroken.

In de verte klonk de hoorn van een rondvaartboot die de Herengracht op draaide. Joan liet de lepel los. ‘Lekker dan,’ mompelde ze. Met een draaibeweging zette ze het gas onder de pan uit. Ze was moe. De afgelopen week had ze drie toetsen, een so en een mondeling gehad. Daarnaast had ze gewerkt aan haar verslag en had ze bijna iedere avond tot na middernacht met Brent geskypet.

Dit weekend had ze ook weer moeten leren. Er leek

geen einde aan te komen. Maar ze moest wel. Dit schooljaar overdoen was geen optie. Nog één jaar en dan kon ze naar de toneelacademie. Sinds ze Brent had leren kennen, was die wens alleen maar sterker geworden.

Brent werkte al een paar jaar in de film- en reclamebusiness. Zijn kantoor in Londen had vorige maand een grote opdracht binnengesleept. Een producent startte een campagne rondom een nieuwe cosmeticalijn en wilde frisse, nieuwe gezichten in de reclamespots. Brent mocht ze casten. De selectieavonden waren afgelopen week geweest. In Londen. Joan had via een liveverbinding meegekeken. Ze vond het fijn dat Brent haar mening op prijs stelde.

Joan liep naar de kamer, plofte op de bank en trok haar benen op. Ze leunde achterover. Een weekend was bedoeld om te chillen, zodat je maandagochtend weer fris en fruitig op school kon verschijnen. Een diepe zucht ontsnapte haar. Fris en fruitig? Ze was nog nooit zo moe geweest!

Hanna had het maar makkelijk. Gymnasium doen en dan toch een heel weekend naar je vriendje in Leiden gaan. Hoe deed ze dat toch? Als Hanna alleen naar een boek keek, kende ze de inhoud al. Hoe oneerlijk was dat? Twee zussen met zo'n verschillend leervermogen. Joan sloot haar ogen en gaf zich over aan haar vermoeidheid.

'Ik mis je.' Hanna zat bij het raam, naast een mevrouw die haar twee kleine kinderen in het gareel probeerde te houden. De metro minderde vaart en Hanna zag dat ze bij station Nieuwmarkt waren. Nog één halte, dan moest ze eruit. Ze klemde haar mobiel tussen oor en schouder en keek op haar horloge.

'Ik jou ook.' De stem van Marc klonk zacht. 'Vooral na twaalven.'

Hanna glimlachte. In gedachten zag ze de rommelige studentenkamer van Marc voor zich. Het tweepersoonsbed bij het raam, waar ze samen in hadden geslapen. De waslijn met vijf paar sokken en wat shirts die dwars door de kamer was gespannen. De boeken, kleren en oude kranten waar ze overheen moest stappen toen ze vrijdagavond binnenkwam. Marc was een sloddervos. Of liever gezegd: een chaoot. Hij zag het zelf niet. Zijn vrolijke opmerking vrijdagavond dat hij speciaal voor haar had opgeruimd, had haar een lachbui gegeven. 'Noem je dit opruimen?' had ze gezegd. Het teleurgestelde gezicht van Marc had boekdelen gesproken. Normaliter zou ze zich geërgerd hebben aan zoveel troep, maar de omarming van Marc maakte alles goed. En zo was het gebleven. Ze had zich het hele weekend gefocust op hem. En hij op haar. Nu ze erover nadacht, had ze de rommel niet eens meer gezien!

'Ik beloof je dat ik volgend weekend alles heb opgeruimd,' ging Marc verder. 'Ik verwelkom je met frisse zeepluchten en een vloer die je echt kunt zien.'

'Volgend weekend?' Hanna dacht na.

'Ja, wat dacht jij? Ik kan niet wachten.'

Hanna zweeg. Volgend weekend zou ze naar haar ouders gaan. Ze had het haar zus Kim beloofd. Foto's kijken van hun uitstapje naar Parijs. Misschien met Bram een spelletje doen, of Thijs helpen met zijn huiswerk. Ze wist dat haar ouders zich daarop verheugden. En zij ook.

'Of loop ik nu te hard van stapel?'

Ze keek geïrriteerd naar een van de kinderen die nu op

de bank tegenover haar stond te springen, terwijl hij met zijn handen tegen het raam sloeg. Kon die moeder haar kind niet tot de orde roepen? Het was hier geen speeltuin!

'Een beetje,' antwoordde Hanna. Hun eerste weekend samen was geweldig geweest, maar zou dat zo blijven? Moesten ze het niet rustig aan doen, zodat de momenten samen bijzonder bleven?

Nu was het Marc die zweeg.

'Ik wil wel,' zei Hanna zacht. 'Maar...' Ze wachtte even. 'Ik wil het niet verpesten.'

'Hoezo?' Marc klonk verbaasd. 'Hoe kun jij het met je aanwezigheid verpesten?'

Hanna keek naar de vrouw naast haar, die net haar zoontje op schoot trok. 'Snel is niet altijd langdurig,' zei ze. 'Ik heb je toch verteld over...'

'Ja, dat heb je verteld.' Marcs stem klonk luider. 'Maar ik ben Marc! Je kunt mij niet vergelijken met die vorige vriendjes van je.'

'Dat weet ik wel, maar...'

'Maar wat?' Marc haalde diep adem.

'Ik ga komend weekend naar mijn ouders.' Hanna legde haar hoofd tegen het koude metroraam. 'Ik heb het beloofd.'

'Hm.'

Hanna sloot haar ogen. Ze wist dat het suf klonk en dat Marc gepikeerd was, maar hij moest het er maar mee doen. 'Sorry.'

'Nee, nee, geeft niet. Beloofd is beloofd, toch?'

'Ja! Zo zit ik in elkaar,' zei Hanna. 'Wen er maar aan.'

De metro minderde vaart. Ze waren bijna bij het Centraal Station. Het jongetje had een nieuwe move bedacht:

langs de leuning naar beneden glijden met je benen gestrekt naar voren. Hanna was blij dat zijn benen net te kort waren om haar te raken. Zijn jongere broertje was op zijn moeders schoot gekropen en probeerde zich tussen haar en Hanna in te wurmen.

'Marc?'

Er kwam geen reactie.

'Ik wil dat dit lukt,' fluisterde Hanna. Ze draaide zich om, zodat ze met haar rug naar de vrouw zat. 'Ik wil rustig uitzoeken of jij...' Ze voelde een stomp in haar rug. Dit was niet bepaald een romantische omgeving waarin je rustig kon praten met je net verworven vriendje. 'Nou ja, je snapt me wel, toch?'

'Ja, ik snap je, maar begrijpen doe ik het niet.'

Hanna schoot in de lach. 'Hoezo filosofiestudent!'

De metro gleed het Centraal Station binnen. 'Ik moet eruit,' zei ze. 'We bellen, goed?'

'We bellen.'

'Dag!' Hanna hoorde een kusgeluid, maar ze kreeg geen kans om dat te beantwoorden. De metro kwam met een schok tot stilstand. Het jongetje tegenover haar gleed op de grond en schoot door, tegen haar benen. Onmiddellijk klonk er een erbarmelijk gekrijs.

Hanna klapte haar telefoon dicht en stond op. Het jongetje dook in zijn moeders schoot.

'Pardon, mag ik er even langs?' Ze stapte over het wild krijsende kind heen en ging de metro uit.

Gehaast liep ze met de mensenmassa mee naar de uitgang. Als ze geluk had, stond er een tram. Kon ze twee haltes meerijden. Zo niet, dan moest ze lopen. Het was druk op het stationsplein. Hanna speurde naar de vertrektijden op de borden. Bijna alle trams gingen over de Nieuwezijds Voorburgwal.

Ze trok een sprintje en stapte net op tijd lijn 2 in. Het bekende belletje klonk en de tram zette zich in beweging. Hopelijk was Joan niet al te pissig. Ze wist hoe haar zus kon zijn, vooral nu ze met eten op haar zat te wachten. Koken was niet echt Joans hobby, dus als ze het een keertje deed verwachtte ze alle lof en moest je op tijd thuis zijn.

Hanna bleef bij de deur staan en stapte uit op het Spui. Vijf minuten later duwde ze haar sleutel in het slot en stapte naar binnen. 'Joehoe, ik ben er!' Ze zette haar tas onder de kapstok en trok haar jas uit. 'Mmm, het ruikt lekker.'

Ze liep de kleine keuken in. 'Joan?' Haar blik viel op de gedekte tafel en de pan rode saus op het fornuis. Een pan met water stond ernaast. Twee snelle bewegingen met haar pink vertelden haar dat het water koud was en de saus lauw. Ze deed de twee gaspitten aan en liep via de gang naar de kamer.

Joan lag languit op de bank en sliep.

Hanna glimlachte en liep terug naar de keuken. Ze was nog steeds blij met haar keuze om samen met Joan in dit huis te gaan wonen. Aan de Herengracht, hoe mooi kon je het hebben?

Ze roerde in de saus en keek door het kleine gebogen raam naar buiten. Er liepen wat toeristen aan de overkant van de gracht die De Admiraal binnenstapten.

'Ben je er al lang?' Joans stem verbrak de stilte.

'Nee, net.' Hanna pakte de spaghetti. 'Erge honger, honger, trek of niet?'

'Erge honger,' antwoordde Joan. Ze liep naar de koelkast en pakte een zakje geraspte kaas. 'Hoe was het?'

'Leuk.'

'Leuk leuk, of bijzonder leuk?'

Hanna glimlachte. 'Bijzonder leuk.' Het water borrelde en ze draaide het gas lager. De lange slierten spaghetti brak ze doormidden. Ze plonsden in het kokende water.

Joan ging op het aanrecht zitten. 'Hij zoent lekker, hè?'

Hanna's gezicht betrok. Deed ze dit nu expres? Dat Joan heel even met Marc had geflirt wilde nog niet zeggen dat ze patent had op zijn zoentalent!

'Oeps, sorry. Zo bedoelde ik het niet.' Joan sprong op de grond.

Hanna roerde in de saus. 'Ik vind hem echt leuk,' zei ze.

Joan kwam naast haar staan. 'Dat weet ik.' Ze gaf haar zus een kus. 'Ik ook altijd met mijn grote mond.'

Hanna glimlachte. 'Hij zoent inderdaad heerlijk.'

'Vertel! Wat hebben jullie gedaan?' Joan deed niet eens haar best om haar nieuwsgierigheid te verbergen.

'We zijn naar Naturalis geweest en wat cafeetjes afgegaan.' Hanna haalt met een vork de slierten spaghetti uit elkaar. 'O ja, en we hebben heerlijk gegeten in een pizzeria.'

'Grappig, hoor,' mompelt Joan. 'Je weet best wat ik bedoel.'

'Je vroeg wat we hadden gedaan.'

'Ja, maar ik bedoel natuurlijk óf jullie het hebben gedaan.'

Hanna stak haar pink in de saus en proefde. 'Mmm, heerlijk die saus.'

'Kom op, Han! Vertel nou.'

'Gaat je niets aan.' Hanna keek op haar horloge. 'Pak jij het vergiet even?'

Met een verongelijkt gezicht liep Joan naar het rek aan de muur. 'Doe niet zo flauw, ik vertel jou toch ook alles?'

Hanna pakte het vergiet aan. 'Ja, dat is waar. Maar dat doe je zelf. Ik vraag er niet om.' Ze zette het vergiet in de gootsteen en goot de spaghetti af. 'Marc en ik kunnen geweldig met elkaar praten. Ik wil hem echt goed leren kennen, voordat...' Ze aarzelt. 'Ik ben gewoon nog niet zover.'

Het kokende water gleed in het afvoerputje. 'Ik wil het rustig aan doen.'

'Rustig aan?' Joan hief haar handen. 'Zo werkt dat niet in de liefde.'

'Vind jij misschien, maar ik ga pas met een jongen naar bed als ik eraan toe ben.'

'En dat vindt Marc prima?'

'Geen idee.' Hanna liet de spaghetti in een witte schaal glijden. 'We hebben het er niet over gehad.'

Joan schudde haar hoofd. 'Maak dat de kat wijs. Heeft hij je ook niet een heel klein beetje proberen over te halen? Ik bedoel, je logeerde bij hem. Een heel weekend!'

'Ik heb bij hem geslapen, ja. Maar er is niets gebeurd.'

'Ook niet...'

'Joan, kappen nou. Je hoort het zodra er wat te melden valt, goed?'

'Ik snap jou niet,' ging Joan verder. 'Je hebt nu hoeveel vriendjes gehad? Vier, vijf, zes?'

Hanna zette de schaal op tafel. 'Zoiets.'

'Je hebt ze allemaal aan het lijntje gehouden met je rustig aan en beter leren kennen. Jasper was gek op jou. En jij op hem. Hij wilde echt verder met jou. Maar nee, mevrouw hield de boot af. Nu woont hij samen met iemand anders en ben je hem kwijt. En Pieter. Hij ging voor je door het vuur. Jij twijfelde en hup... weg Pieter.'

'Je overdrijft, Joan.' Hanna legde een onderzetter op tafel. 'Ik luister gewoon naar mijn gevoel.'

'Je gevoel... je gevoel... en waar heeft dat gevoel je gebracht? Hanna, luister naar mij. Als je Marc wilt houden, moet je het gewoon doen. Bel hem op en...'

Hanna zette de pan met saus met een klap op tafel. 'Mag ik eerst even wat eten?'

'Eh... ja, natuurlijk.' Joan schudde haar hoofd. 'Maar ik voel gewoon dat hij bij jou past. Hij is knap, slim, grappig en hij kan...'

'...geweldig zoenen,' vulde Hanna haar aan en ze grijnsde. 'Zie je wel dat gevoel belangrijk is?'

Ze schoven aan tafel.

'Het is wel een sloddervos,' zei Hanna nadat ze had opgeschept. 'Hij heeft een echte studentenkamer. Wat een zooi!'

'Aan je gezicht te zien bedoel je dat niet echt positief?'

Hanna prikte haar vork in de berg spaghetti en draaide deze langzaam rond. 'Hm.' Ze nam een hap. 'Het was niet vies of zo... meer een chaos.'

'Kom op, Hanna. Je beoordeelt hem nu al op zijn opruimcapaciteiten? Hoe onromantisch kun je zijn?'

'Gaat vanzelf.' Hanna slikte. 'Zo gaat dat in mijn hoofd. Ik zie alles, hoor alles, let op alles, onthou alles. Ik word daar soms zo moe van.'

'Stop er dan mee.'

'Gaat niet.' Hanna tikte tegen haar schedel. 'Ik ben een controlfreak, maar mijn brein is een geheel autonoom gebied.'

'Een wat?'

'Autonoom...'

'Ja, dat hoorde ik wel.' Joan klonk geïrriteerd.

'Dat het zijn eigen gang gaat,' legde Hanna uit. Ze veegde een klodder saus van de rand van haar bord en likte haar vinger af. 'En het ergste is dat het mijn gevoelens beheerst. Als ik registreer dat het ergens rommelig is, projecteer ik dat gelijk op de persoon, waardoor...'

'Stop maar!' Joan hief haar hand. 'Ik ben te moe voor dit intellectuele gebral. Sorry!'

Hanna fronste haar wenkbrauwen, boog haar hoofd en at zwijgend door. Minutenlang klonk alleen het getik van de vorken tegen de borden.

'Smaakt het?' Joan schraapte haar bord leeg.

'Ja.' Hanna legde haar vork neer. 'Dank je. Het was lekker.' Ze glimlachte. 'Ik ben ook moe.'

'Dat zal best.' Joan gaf haar zus een knipoog. 'En je hebt je nog niet eens echt ingespannen dit weekend.'

Op dat moment klonk er een ringtone. De telefoon van Joan lichtte op. 'Parrot,' zei ze en ze schoof de vergrendeling open. 'Hé, lieve vader van me! Wat leuk dat je b–' Haar gezicht verstarde. 'O,' stamelde ze. 'Nee, nee, dat begrijp ik. Ja, is goed. Doei!'

Ze keek naar Hanna. 'Tanja komt naar Amsterdam,' zei ze.

Hanna boog over de tafel heen. 'Echt? Wat leuk! Wanneer?'

'Vannacht.'

'Huh?' Hanna keek verrast. 'En waarom komt ons beroemde zusje midden in de nacht vanuit Londen naar ons toe? Mist ze ons zo?'

'Parrot komt ook mee.' Joans gezicht betrok. 'Maar ze komen niet voor ons.'

'Niet?'

Joan keek Hanna aan. 'Dit is echt geen leuk nieuws.'

2

Slecht nieuws

Tanja huiverde. Het regende nu al dagen in Londen. De wegen stonden grotendeels onder water, waardoor je niet te dicht bij de stoeprand moest lopen wilde je je kleren drooghouden met al dat opspattende water. Mensen liepen diep in grauwe regenkleding weggedoken over straat.

'Natte bedoening,' mompelde Tanja terwijl ze de taxichauffeur zijn geld gaf. Normaal gesproken liep ze het stuk van de studio naar huis, maar met dit hondenweer waagde ze zich daar niet aan. Londen was een te gekke stad om in te wonen. Het moest er alleen niet zo veel regenen.

Tanja stak de sleutel in het slot en stapte naar binnen. Zo te zien waren Parrot en Mike er ook al. Een snelle blik op de rode trenchcoat en de lege boodschappentas van de 'Whole Foods Market' vertelde haar dat Ann er ook was en dat ze vanavond kookte. Lekker!

Ze raapte de post van de mat en liep de trap op. Het

huis waar ze met haar vader en broer Mike woonde, lag in een rustige wijk van Londen. Er was veel veranderd in huis sinds Ann, de vriendin van haar vader, regelmatig langskwam. Belangrijkste was wel dat er nu vaker gezond gekookt werd. Parrot en Mike leefden al jaren op afhaalmaaltijden en junkfood en dat had Tanja in haar eentje niet echt kunnen veranderen. Het kwam geregeld voor dat zij haar eigen salade maakte als er weer eens hamburgers werden gebakken. Maar nu Ann er was, had ze een medestander in gezond eten gevonden.

De deur van de huiskamer stond open en Tanja hoorde de stemmen van Ann en Parrot. '*Especially Tanja*,' zei Parrot lachend. '*She is...*' Er viel een stilte. '*Different*,' ging Parrot verder. '*Yes, just different.*'

Tanja spitste haar oren. Ze hadden het over haar. Zei hij nu dat ze anders was? Anders dan wat? Ze bleef op de overloop staan en hoorde dat Ann dezelfde nieuwsgierigheid had.

'*In what way?*' vroeg ze.

'*In every way.*' Parrots stem klonk vrolijk. '*She is just unique. I love her, but sometimes I doubt if she is my daughter.*'

Niet zijn dochter? Wat bedoelde haar vader daarmee? Tuurlijk was ze zijn dochter! Joan, Hanna en zij waren een drieling. Daar was geen speld tussen te krijgen.

Mike mengde zich in het gesprek. '*He is joking, Ann.*'

Tanja hoorde Ann lachen. '*You love all your children, darling. And there is no doubt about it that they are yours.*'

'*You are absolutely right, Ann*,' zei Parrot. '*I was just kidding.*'

Zie je wel, hij maakte een geintje. Tanja hoorde voetstappen en wist dat ze niet langer kon blijven staan.

'*Hi, Tanja.*' Ann begroette haar enthousiast. '*Hungry?*'

Tanja knikte. '*I am starving!*' Ze gaf haar vader een knuffel en Mike een knipoog. '*Hi, big brother.*'

Mike stak zijn tong uit, maar zijn ogen twinkelden.

Tanja legde de post op de kleine salontafel en plofte op de bank. Ze wipte haar schoenen uit en nestelde zich in de kussens. Haar interview met de journaliste van de *Daily Mirror* was iets uitgelopen, zodat ze direct door naar huis was gegaan. Kon de producer ook wat eerder weg. Ze hadden de tijd. Haar nieuwe album stond gepland voor over een jaar. Voorlopig moesten de fans het doen met haar huidige album. Dat liep goed. Er was een release in Hongarije en in Frankrijk gepland. Afwachten hoe het publiek daar zou reageren. Nederland was nog niet zo ver. Volgens Mike waren de kansen daar nog te klein om door te breken. Ze had geduld. Het was al te gek dat ze nu naar het vasteland van Europa kwam. Frankrijk had veel potentie en zo kon ze Danny misschien wat vaker zien. Want als het album door zou schieten in de hitlijsten, moest ze op tournee door Frankrijk.

'Druk?' Ze keek naar Mike en Parrot die voorovergebogen aan tafel zaten en zo te zien druk bezig waren met een stapel papieren.

'*Contracts*,' legde Ann uit. Ze verdween naar de keuken en kwam terug met een grote kom soep. '*Here you are*!'

Tanja pakte de kom aan. Het rook heerlijk. '*Mmm, nice*!' Ann kon geweldig koken. Het was jammer dat Parrots liefde niet door zijn maag ging. Het maakte hem niet echt uit wat hij te eten kreeg, als er maar wat in ging. Ann had een slechte aan hem.

Wat dat betreft was Tanja inderdaad geen dochter van haar vader. Ook Mike interesseerde zich niet zo voor eten. Om maar niet te spreken van haar zussen. Joan at alleen maar slablaadjes en Hanna hield van Hollands eten, aardappelen met jus en een gehaktbal.

Tanja was de enige vegetariër van het stel. Zo waren er wel meer dingen waarin ze verschilde van haar twee zussen. Parrot had misschien wel een beetje gelijk. En ze leek ook niet echt op haar moeder, volgens Parrot. 'Joan heeft het uiterlijk van Christa,' had hij pasgeleden nog gezegd. 'En Hanna haar innerlijk. Dan zal Tanja wel op mij lijken, toch?'

Ze hadden er met zijn allen om gelachen, maar diep in haar hart wist Tanja dat ze qua karakter ook absoluut niet op haar vader leek. De enige link met Parrot was haar passie voor zingen. Maar verder was ze gewoon een buitenbeentje in de familie. In alles. Haar muziekstijl, haar kledingsmaak, het feit dat ze bewust vegetariër was, geen bont droeg en zich zorgen maakte over het behoud van de natuur, zorgde vaak voor verhitte discussies. Maar ze was wie ze was. Waarschijnlijk had de weeshuisperiode een stempel op haar gedrukt. Ze had moeten knokken voor haar plekje in de wereld. Haar zussen waren in de watten gelegd door hun adoptiefouders. Hanna was door haar nieuwe familie overstelpt met liefde en aandacht. Joan met luxe en glamour. Geen wonder dat je dan anders wordt!

'*I'm making stew*,' zei Ann en ze verdween weer in de keuken.

Tanja ontspande. Terwijl ze haar soep opat, schoof ze met haar voet de stapel post op de salontafel uit elkaar. Veel reclame, wat fanmail voor Parrot, een brief van de boekhouder, wat ansichtkaarten van fans en een witte envelop. Tanja kon niet zien van wie die kwam en concentreerde zich weer op de soep.

'Heb jij die kopie van dat concertcontract nog aan Mike gegeven?' Parrot keek zijn dochter vragend aan. 'We missen het.'

Tanja knikte. 'Ja, gisteren. Daar was je zelf bij.' Ze zette haar soepkom op de salontafel. 'Zit-ie er niet bij?'

Parrot schudde zijn hoofd.

'Ook niet in dat rode hoesje waar mijn andere contract in zat?'

Parrot rommelde wat in de stapel papieren. Tanja bekeek de ansichtkaarten. Haar fans waren weer lekker creatief bezig geweest. Wisten ze nou nóg niet dat ze een hekel had aan glitters en blingbling?

Met een glimlach legde ze de kaarten terug. Ze zou ze straks wel opruimen. De meeste fanmail verdween uiteindelijk in de prullenbak. In het begin van haar carrière bewaarde ze alle brieven, kaarten, foto's en tekeningen. Maar al snel moest ze keuzes gaan maken. Het werden er gewoon te veel. Wat dat betreft was ze blij dat Parrot al heel veel ervaring had met fans en fanmail.

'Ik heb hem!' Parrot zwaaide met een papier.

Tanja knikte. 'Fijn.' Ze pakte de witte envelop en zag haar naam op de voorkant staan. Nog meer fanmail? Behendig scheurde ze de envelop open en haalde er een blocnoteblaadje uit.

Ze fronste haar wenkbrauwen. Dit was niet het handschrift van een jonge fan. De sierlijke letters met krullen en lussen golfden over het papier. De brief was in het Nederlands geschreven. Haar ogen gleden over de brief en bleven hangen bij de afzender.

'Thea?' fluisterde ze.

Nieuwsgierig begon ze te lezen.

Amsterdam, 24 maart

Beste Tanja,

Ik hoop dat deze brief op tijd aankomt. Dit adres stond in Annekes adresboek.

Ze is ziek en ligt in het ziekenhuis. Het is ernstig. Daarom schrijf ik jou. Het zou goed zijn als je haar bezoekt. Ik denk dat het haar goed zal doen. Ze vraagt geregeld naar je.

Jullie hebben zo'n band samen, ik zou het mezelf nooit vergeven als ik je niet gewaarschuwd had. Anneke weet hier niets van. Het zou een verrassing zijn.

Ik hoop echt dat je snel kunt komen.

Liefste groeten,

Thea van Dongelen

Onder aan de brief stond Thea's telefoonnummer. Tanja voelde haar hart bonzen. Anneke ernstig ziek? Maar... hoe kon dat? Ze hadden elkaar pas nog telefonisch gesproken en toen was er niets aan de hand. Of had ze het verzwegen?

Tanja kende Thea goed. Een nuchtere vrouw die niet

zo'n dwingende brief zou sturen als er niet echt wat aan de hand was. Ze was de kokkin in het weeshuis waar Anneke de leiding had. Het weeshuis waar Tanja haar jeugd had doorgebracht. Waar ze, samen met haar zussen Hanna en Joan, liefdevol was opgevangen toen hun moeder overleed.

Haar zussen waren al snel daarna geadopteerd, zij bleef tot haar zestiende bij Thea en Anneke wonen. Toen kwam, door het testament van hun moeder, alles in een stroomversnelling terecht. Het feit dat ze opeens twee zussen en een beroemde Engelse vader bleek te hebben, had alles in haar leven overhoop gegooid. Ze was in de war geweest en had Anneke in die periode behoorlijk op de proef gesteld. Maar Anneke was haar door alles heen blijven steunen. Telkens weer had ze Tanja laten voelen dat ze ertoe deed. Dat ze recht had op haar boosheid. Na weer een heftige ruzie had Tanja besloten in Londen te gaan wonen, bij haar vader en haar halfbroer Mike. Ze wilde niet langer in het weeshuis blijven. Ze had ruimte nodig.

Anneke had het er moeilijk mee gehad, maar Tanja's keuze gerespecteerd. 'Je weet dat je altijd op me kunt rekenen,' had ze gezegd.

In de weken daarna hadden ze contact gehouden en had Tanja beseft dat Anneke een belangrijke plaats innam in haar leven. Haar liefde, steun en vertrouwen hadden haar gemaakt tot wie ze was. Anneke was als een soort moeder voor haar! Hun band was zo sterk.

Ze belden nog steeds geregeld en als Tanja bij haar zussen in Amsterdam was zocht ze Anneke altijd op.

En nu was Anneke ziek? Wat verdwaasd staarde Tanja naar het telefoonnummer onder aan de brief. Thea wilde dat ze belde. Natuurlijk, logisch! Ze wilde weten of de brief was aangekomen. De datum gaf aan dat de brief er ruim een week over had gedaan om haar te bereiken. Waarom had Thea niet gemaild? Ze zag het vriendelijke gezicht van de vrouw voor zich en wist het antwoord al. Computers waren niets voor Thea.

'Leuke post?' Parrot kwam naast haar zitten.

Tanja schudde haar hoofd. 'Nee, Anneke is ziek.' Ze gaf de brief aan haar vader en voelde haar ogen prikken. 'Ze heeft me nodig, pap.'

Parrot staarde naar de tekst. 'Ja, dit klinkt ernstig.'

Tanja voelde een traan over haar wang rollen.

'Hé!' Parrot sloeg zijn arm om haar heen. 'Bel Thea op.' Hij pakte zijn mobiel en toetste het nummer in. 'Hier, neem de mijne maar.'

Tanja veegde haar wang droog en luisterde naar de bel-toon.

'Thea van Dongelen.' De stem klonk nors, bijna boos.

'Dag Thea, met Tanja.'

Het bleef even stil aan de andere kant van de lijn.

'Tanja Couperus?'

'Ja, ik heb je brief ontvangen. Net.' Tanja schraapte haar keel. 'Ik... ik snap het niet. Wat is er met Anneke?'

'Ik ga even zitten. Wacht.' Er klonk geschuifel. 'Kind, wat ben ik blij dat je belt. Het gaat niet goed. Echt niet.' Thea's stem sloeg over. 'Ze ligt daar zo stil. De dokter zegt dat ze niet meer wil vechten.'

'Vechten? Maar... wat heeft ze dan?'

'Ik vind het zo moeilijk om het uit te spreken. Het zit in haar botten en sloopt alles. Een chemo heeft geen zin, zegt de dokter.'

'Kanker?' Tanja sprak de twee lettergrepen fluisterend uit en voelde het bloed uit haar gezicht trekken.

Parrot drukte haar nog steviger tegen zich aan.

'Ja, Anneke weet het al een paar weken, maar ze wilde niets zeggen. Ze dacht dat het te behandelen was, maar dat blijkt niet zo te zijn. De dokters hebben de behandeling gestaakt. Die slaat niet aan.'

'Maar...' Tanja ging rechtop zitten. 'Ze kunnen toch wel íéts doen? Bestraling, medicijnen... íéts?'

'Nee Tanja, niets meer. En ze wil ook niet meer. Dat vind ik nog het ergste. Ze is kilo's afgevallen en ze is erg zwak. Ze is zo berustend, alsof ze zich er al bij heeft neergelegd.'

'Maar dat mag niet!' Tanja kneep de telefoon van haar vader bijna fijn.

'Ik weet het,' ging Thea verder. 'We kunnen het haar alleen nog naar de zin maken in de tijd die haar nog rest. De kinderen hier bezoeken haar om de beurt en ik doe wat ik kan. Maar het is zwaar. Anneke was de spil hier in het weeshuis.' Het bleef even stil. 'Het bestuur heeft al een sollicitatieprocedure gestart voor als...' Tanja hoorde een snik. 'Sorry, ik ben zo blij dat je belt. Ik vond dat je het moest weten.'

'Ja.' Tanja wist niet wat ze moest zeggen. Het drong langzaam tot haar door dat er weinig tijd meer was. Ze beet op haar lip. 'Hoelang denk je dat ze nog...'

'De dokter heeft het over een paar weken. Maar ze heeft zoveel pijn. Ik denk niet dat het weken zullen zijn.'

'Ik kom meteen met de eerste vlucht,' zei Tanja. 'In welk ziekenhuis ligt ze?'

Terwijl Parrot de gegevens voor haar noteerde, nam

Tanja afscheid van Thea. Ze beloofde ook langs te komen in het weeshuis en hing op.

Er hing een vreemde sfeer in de kamer. Mike en Ann waren erbij komen staan en keken vragend. Parrot legde in het kort uit wat er aan de hand was.

'*Oh gosh, my dear.*' Ann kwam bij Tanja zitten en sloeg haar arm om haar heen. '*I'm so sorry.*'

Tanja staarde voor zich uit. 'Ik moet mijn spullen pakken.' Ze stond op.

'Ik ga met je mee,' zei Parrot.

Tanja knikte.

'*But...*' Mike wees naar de stapel papieren op tafel, maar boog toen zijn hoofd. '*It can wait,*' zei hij, terwijl hij zijn telefoon pakte. '*I'll make sure the jet is on standby.*'

Even later zat Tanja op haar bed en staarde voor zich uit. Anneke ging dood. Herinneringen schoten door haar heen. Anneke die haar aankleedde. Anneke die samen met haar door de berg bladeren in het park stampte. De sneeuwpop die ze samen hadden gemaakt in die ene strenge winter. De kerstboom in de hal waar zij ieder jaar de piek in mocht zetten. Hun vele discussies over muziek, kledingstijl en vooral de ruzies die ze konden hebben over hoe laat Tanja thuis moest komen.

Ze kenden elkaar door en door. Anneke was de veilige haven waar ze altijd terechtkon, ook nu nog, nu ze in Londen woonde. Tanja kon zich gewoon geen voorstelling maken van een leven zonder Anneke. Ze glimlachte. Zo voelde het om een moeder te hebben, dacht ze. Dat moest wel. Zo vertrouwd, zo veilig.

De deur ging op een kier en het gezicht van Ann kwam tevoorschijn. '*Need a hand?*'

Tanja keek naar de lege reistas op haar bed en knikte.

Zwijgend pakten ze de tas in. Tanja was blij dat Ann niets vroeg. Wat moesten ze ook zeggen? Ze wist zelf niet eens wat ze voelde. Angst, warmte, onrust, boosheid... allerlei gevoelens borrelden op. Eigenlijk wist ze maar één ding: zo snel mogelijk naar Anneke toe. Vanavond nog.

Parrot kwam haar kamer in. 'Ik heb Joan en Hanna bericht dat we eraan komen. De jet staat over twee uur klaar. Het vluchtschema wordt aangevraagd. Als het weer een beetje meezit, zijn we rond middernacht in Amsterdam.'

Tanja keek haar vader aan. 'Ik ben toch wel op tijd?' Al konden ze met het privévliegtuig van Parrot vliegen, ze was toch bang dat ze te laat zouden komen.

'Mag je 's nachts het ziekenhuis in?' Stom dat ze dat niet aan Thea had gevraagd.

'We gaan eerst naar het huis van Joan en Hanna,' zei Parrot. 'Een paar uurtjes slaap zijn geen overbodige luxe. Morgenochtend is vroeg genoeg.'

'Maar ik wil...'

'Luister, Tanja. Anneke moet gewoon slapen en ze heeft niets aan je als je niet uitgerust bent. Morgenochtend vroeg breng ik je naar het ziekenhuis. Dan kun je net zo lang blijven als je wilt.'

'En jij dan?'

'Maak je over mij nou maar geen zorgen. Belangrijker is dat jij en Anneke tijd met elkaar hebben.'

Tanja knikte. 'Ja...' Ze slikte. 'Hoeveel tijd? Denk je

dat het ons laatste...' Ze keek op en voelde haar ogen branden.

'Ik denk dat jij je daar nu niet mee bezig moet houden, liefje.' Parrot ritste de reistas dicht. 'Kom, we gaan.'

3

Bijna alles

‘Als je wilt... De eieren staan in de koelkast.’ Joan overhandigde haar vader een huissleutel en gaf hem een kus. ‘Sorry dat ik niet thuis kan blijven vandaag. Toets!’ Ze pruilde. ‘Duim voor me, goed?’

Parrot knikte. ‘Ik zie je vanmiddag.’ Hij ging aan de tafel zitten en schoof een bord naar zich toe. Het was vroeg in de ochtend.

‘Hanna is al weg. Ik moest de groeten doen.’ Joan verdween naar de gang. Ze pakte haar tas en botste bijna tegen Tanja op die aangekleed de trap af kwam. ‘Sterkte, Tan!’ riep ze. ‘Doe je Anneke de groeten van ons? Vanavond praten we verder, goed?’

Tanja mompelde wat en liep door naar de kamer. Ze had geen oog dichtgedaan vannacht. Het enige wat ze kon denken was hoe Anneke op haar lag te wachten. Bij de tafel bleef ze staan. ‘Gaan we?’

Parrot keek op. ‘Eerst ontbijten.’ Hij stond op en schoof een stoel voor haar naar achteren. Tanja voelde een kus op haar wang.

'Die paar minuten maken niets uit.' Hij wees naar de mand met brood en zijn dwingende blik maakte dat Tanja ging zitten. Parrot schonk een glas thee voor haar in en schoof de broodmand in haar richting.

'Is Hanna ook al weg?' Tanja wist dat ze teleurgesteld klonk. Joan en Hanna waren vannacht nog wel op geweest om hen te begroeten, maar vrijwel direct daarna waren ze allemaal naar bed gegaan. Hanna viel om van de slaap en Joan wilde fit op school verschijnen in verband met haar toets. Ondanks de lichte teleurstelling had Tanja het toen wel fijn gevonden. Ze was niet echt in de stemming geweest om gezellig bij te kletsen.

'Pindakaas?' Parrot hield de bekende pot omhoog.

Tanja schudde haar hoofd. Ze had helemaal geen honger, maar ze wist dat Parrot haar niet met een lege maag mee zou nemen. Ze pakte een beschuit en smeerde er wat jam op. 'Moet ik het ziekenhuis nog bellen, denk je, dat ik eraan kom?'

'Heb ik al gedaan,' antwoordde Parrot. 'We mogen de achteringang nemen.'

Tanja was blij dat haar vader het zo geregeld had dat ze niet herkend zouden worden. Het was nu niet het moment om handtekeningen aan fans uit te delen. Zijzelf kon in Nederland nog gewoon over straat lopen zonder aangevallen te worden door hordes fans. Maar Parrot was hier hot. Als iemand doorkreeg dat hij in Amsterdam was, zouden er duizenden fans op af komen en hadden ze geen leven meer.

Een kwartier later reden ze in een taxi over de Herengracht en sloegen rechtsaf de Vijzelstraat in. Zwijgend zag ze de huizen voorbijschuiven. Haar hoofd leunde tegen het raam. Niets was erg, vergeleken bij wat Anneke overkwam. Doodgaan... zomaar, zonder dat je daarop gerekend had. Hoe kon ze zich ooit nog druk maken over andere dingen?

De taxichauffeur laveerde via de trambaan om het drukke stadsverkeer heen. Ze waren er bijna.

'Gaat het?' Parrot legde zijn hand op haar knie.

Tanja knikte.

De taxi draaide de parkeerplaats op en reed door tot de dienstingang aan de zijkant van het gebouw. 'Kunt u hier op mij wachten?' Parrot gaf de chauffeur een briefje van tien euro. De man knikte en sloot de deuren.

Ze liepen naar de ingang en de bewaker opende de deur voor hen. Even later stonden ze in een lift die hen naar de derde verdieping bracht.

'Zal ik mee naar binnen gaan?' Parrot sloeg zijn arm om haar heen.

Tanja schudde haar hoofd. 'Nee, dat hoeft niet. Ga maar gewoon.'

'Zeker weten?'

De lift stopte en Tanja stapte uit. 'Ja.'

Parrot gaf haar een kus. 'Oké, maar als er wat is, dan bel je, goed?'

Tanja knikte en liep de gang in. Afdeling oncologie stond er boven de twee glazen klapdeuren. Tanja haalde diep adem en duwde een van de deuren open.

Ze meldde zich bij de balie en een verpleegster bracht haar naar Annekes kamer.

'Ze slaapt nog, denk ik,' zei de verpleegster. 'Maar je mag haar wakker maken. Ze wordt zo gewassen.' Terwijl de verpleegster terugliep naar de balie, staarde Tanja naar de deur van kamer 314 die op een kier stond.

Ze gluurde naar binnen. Het was donker in de kamer. De gordijnen waren nog dicht. Ze kon het voeteneind van een bed onderscheiden. De bolling van de lakens vertelde haar dat er iemand in het bed lag. Aarzelend deed ze een stap naar voren en duwde tegen de deur die geruisloos openschoof.

Anneke maakte een zacht snorrend geluid. Haar ogen waren dicht. Ze ademde rustig en gelijkmatig.

Voorzichtig kwam Tanja dichterbij. Ze schrok van Annekes magere, bleke gezicht. Haar hoofd was grotendeels bedekt door een lichtblauwe katoenen muts. Aan de onderkant zat rondom een donkerblauwe band met kleine roosjes. Ze had een slangetje in haar neus dat met doorzichtige tape aan haar wang was bevestigd. Besluiteloos bleef Tanja bij het bed staan. Ze kon toch moeilijk...

Op dat moment ging de deur open en floepte het licht aan. 'Goedemorgen, mevrouw Verstraaten! Lekker geslapen?'

Tanja keek verontwaardigd om. De verpleegster liep door naar het raam en schoof de gordijnen open. 'U heeft bezoek, zie ik.'

Anneke opende haar ogen en knipperde tegen het licht. De verpleegster gaf Tanja een knipoog. 'Ik kom straks wel even terug.'

Voordat Tanja iets kon antwoorden, was ze verdwenen. Op de gang klonk gerinkel.

'Tanja?' Het was een zwakke, krasserige stem. Anneke hief haar hoofd op. Haar ogen straalden. 'Wat een verrassing!' Ze hief haar armen. 'Kom hier, lieverd.'

Tanja boog voorover en voelde Annekes armen om

haar heen. Het slangetje drukte tegen haar wang. Het voelde raar.

'Hoe kom jij nou hier?' Anneke liet haar los en keek haar vragend aan. Ze zuchtte. 'Thea?'

Tanja knikte. Ze voelde haar hart bonzen. Nu moest ze iets zeggen. Maar de woorden kwamen niet.

'Pak een stoel.' Anneke duwde zichzelf iets meer overeind. 'Ben je alleen gekomen?'

'Nee, met mijn vader.' Tanja schoof een stoel bij het bed en ging zitten. Ze was blij dat Anneke het gesprek op gang bracht. 'Hij is...' Ze wapperde met haar hand. 'Nou ja, hij komt me straks weer halen. Je moet de groeten hebben.'

'Je logeert zeker bij je zusjes?'

'Ja, we zijn vannacht geland.' Het voelde raar. Hadden ze het nu over haar logeeradres? Moesten ze het niet over Anneke hebben? Over haar ziekte? Hoe ze zich voelde?

Anneke glimlachte. 'Hoe gaat het met je? Ik las dat je laatste album naar Frankrijk gaat?'

Tanja slikte. 'Ik vind het zo erg,' fluisterde ze en haar blik dwaalde af naar de plek waar Annekes wenkbrauwen hoorden te zitten. Ze waren er niet. Niet alleen haar hoofd was kaal, ook haar wenkbrauwen waren verdwenen.

Anneke sloeg haar ogen neer. 'Zeg maar niks.'

Er viel een beklemmende stilte.

Anneke pakte Tanja's hand. 'Vertel me hoe het in Londen is.' Haar smekende blik maakte Tanja onrustig. 'Alsjeblieft?'

'Nat.' Tanja haalde diep adem. 'Het regent er al weken. De regenjassen zijn niet aan te slepen en de paraplu's zijn uitverkocht.' Ze zag dat Anneke glimlachte. 'Ik had gisteren een interview met een bekende krant.'

'Dat is goed, toch?'

Tanja knikte. 'Ja, volgens Mike levert dat veel publiciteit op. In Frankrijk zijn de verwachtingen goed. Als het een beetje meezit, ga ik binnenkort op tournee langs kleine concertzalen.'

'En wanneer kom je naar Nederland? Ik wil je zo graag zien optreden.'

Tanja was in de war. Ze wisten allebei dat Anneke dat nooit meer mee zou maken. Ze ging dood! Waarom zei Anneke dat niet gewoon?

De deur ging open en een verpleegster stapte de kamer in. 'We gaan u wassen, mevrouw Verstraaten. Kan het?'

Zonder een antwoord af te wachten, liep ze naar het bed toe en wenkte Tanja. 'Wil je even op de gang wachten? Tien minuutjes, hooguit. Je kunt aan het eind van de gang water, koffie en thee krijgen.'

Tanja knikte en liep de kamer uit. 'Tot zo!'

Het was frisser op de gang. Tanja merkte nu pas dat het behoorlijk warm was geweest in Annekes kamer. Benauwd warm zelfs. Ze was blij dat ze even kon lopen. De gang was lang en maakte een bocht. Helemaal aan het eind was een zitruimte met wat stoelen en een bank.

Ze nam een bekertje water en ging op een van de vrije stoelen zitten. Na een kwartier besloot ze terug te gaan naar Annekes kamer. De verpleegster kwam net naar buiten. 'Je moeder is weer lekker schoon.'

'Ze is mijn moeder niet,' zei Tanja. 'Tenminste... niet

echt.' Ze zag dat de verpleegster haar wenkbrauwen fronste.

'Ze heeft me min of meer opgevoed,' legde ze uit.

'Toch een beetje je moeder dus,' zei de verpleegster. 'Je kunt naar binnen, hoor.'

De verpleegster liep de gang uit en Tanja duwde de kamerdeur open. Anneke lag onder een keurig rechtgetrokken laken.

'Daar ben je weer,' zei ze. 'Kom zitten.' Ze wees naar de stoel naast het bed. 'Waar waren we gebleven? O ja, je nieuwe album. Vertel.'

Tanja ging zitten. Net toen ze iets wilde zeggen, begon Anneke te praten. 'Weet je nog dat je voor ons optrad in de hal van het weeshuis?' Anneke haalde diep adem. Er klonk een rochelend geluid in haar keel. 'Je had een podium gemaakt van drie kisten en je zong...' Ze sloot haar ogen. 'Even denken.'

'The Spice Girls,' vulde Tanja aan. Ze wist het nog precies. 'Ik had een zwart T-shirt verknipt en voelde me heel stoer. Thea vond het maar niks.'

Anneke glimlachte. 'Je had het in je. Ik wist het toen al.' Ze pakte Tanja's hand. 'Die heeft talent.' Ze lachte. 'Mijn vader kon ook zo mooi zingen, wist je dat?'

Tanja schudde haar hoofd. Ze wist niets van Annekes familie. Voor zover zij wist, was Anneke altijd alleen geweest, had ze geen ouders meer en ook geen broers of zussen. Nu ze erover nadacht had ze Anneke ook nog nooit horen praten over familie of vrienden.

'Vertel,' zei Tanja. 'Was hij beroemd?'

Terwijl Anneke vertelde over haar vader, de boekhouder die als amateurzanger op feesten en partijen optrad, keek Tanja naar alle apparatuur die naast Annekes bed stond. De piepjes, de golvende groene lijnen op het scherm en de slangen maakten haar onrustig.

'En daarom vind ik het zo leuk dat jij nu ook zingt.' Anneke liet Tanja's hand los. 'Je luistert niet.'

'Eh... nee, sorry. Ik dacht even...' Tanja voelde zich misselijk en haar gezicht betrok. 'Gaat u dood?' fluisterde ze.

Anneke knikte. 'Ja, Tanja. Iedereen gaat dood.'

'U weet best wat ik bedoel!' Ze wist dat ze geïrriteerd klonk, maar ze kon er niets aan doen. Ze wilde weten waar ze aan toe was. Waar Anneke aan toe was. 'Ik ben hier omdat u ziek bent,' ging ze verder. 'U heeft kanker, toch?' Haar stem sloeg over. 'Toch?'

'Ja.' Anneke zakte wat dieper in haar kussen. 'Ja, ik heb kanker. En ja, ik ga dood. En snel ook. Misschien over een week, of een maand. Meer zal het niet zijn, zegt de dokter. Ik krijg morfine tegen de pijn. Zo hou ik het uit.' Ze zuchtte en sloeg haar armen over elkaar. 'Wil je nog meer weten?'

Tanja zweeg. De woorden drongen langzaam tot haar door.

'Iedereen vraagt hoe het met me gaat,' ging Anneke verder. 'Hoe denk je dat het voelt om steeds weer te moeten vertellen dat je doodgaat?' Ze sloot haar ogen en ademde zwaar. De machine naast haar bed begon te piepen. De lijnen op het scherm bewogen heftig.

Tanja zag dat Anneke nu moeilijk ademde. Het gepiep werd luider en luider.

Een verpleegster kwam de kamer binnen en duwde Tanja opzij. Angstig keek Tanja toe hoe de verpleegster met een lampje in Annekes ogen scheen, haar pols pakte en de apparatuur controleerde.

'Wat is er?' vroeg Tanja gespannen.

De verpleegster reageerde niet op haar vraag. Ze draaide aan het knopje van het infuus en verwisselde de zak met doorzichtige vloeistof. 'We verhogen de dosering iets.'

Het gepiep nam af.

Anneke opende haar ogen.

'U moet zich wel rustig houden, mevrouw Verstraaten.' De verpleegster wierp een indringende blik op Tanja. 'Maak je haar niet te moe?'

Voor Tanja kon antwoorden was de verpleegster al weer vertrokken. Er hing een beklemmende sfeer in de kleine kamer.

'Sorry, ik...' Tanja liep naar het bed en pakte Annekes hand vast. 'Zo bedoelde ik het niet. Ik wilde alleen maar weten hoe het echt met u was.'

'Dat weet je dan nu.' Anneke glimlachte. 'En? Voelt het beter?'

'Nee.' Tanja boog haar hoofd. 'Integendeel.'

'Precies. En daarom luister ik liever naar jouw verhalen. Die zijn een stuk vrolijker dan die van mij.' Anneke probeerde meer overeind te gaan zitten, maar het lukte niet.

'Ik wil geen treurige gezichten om me heen. Ik wil lachen, ik wil horen hoe het met jou gaat. Hoe het met Danny is... alles! Daar word ik blij van. Jij bent mijn alles, dat weet je toch?' Ze hijgde. Haar ogen kregen een doffe gloed en het leek alsof ze in gedachten ergens anders was. Haar blik dwaalde af.

Tanja knikte aarzelend. Wat bedoelde Anneke nu precies?

'Wij horen bij elkaar,' mompelde Anneke. 'Daarom ben ik ook zo blij dat je er bent. Ik heb voor je gezorgd als een moeder.' Ze streelde Tanja's wang. 'Ben je gelukkig?'

'Ja, heel erg.' Tanja voelde haar ogen branden. 'U voelde ook als een moeder.' Ze grijnsde. 'Met alle ruzies die daarbij horen.'

Anneke knikte. 'Ik hoop echt dat ik er goed aan gedaan heb.'

'Waaraan?'

Anneke liet haar arm zakken en er verscheen een glimlach om haar mond. 'Het is goed zo, Caroline. Het is goed.'

Tanja spitste haar oren. Wat mompelde Anneke nu? Zei ze Caroline? En waar had ze goed aan gedaan?

'Ik begrijp u niet goed,' zei ze. 'Wie is Caroline?'

Annekes ogen schoten heen en weer. Er verscheen een angstige blik in haar ogen. 'Zei ik dat?'

'Ja.' Tanja voelde Annekes hand bewegen. 'U vroeg zich af of u er goed aan had gedaan en noemde die naam.'

'Ik ben een beetje in de war, zeker.' Anneke liet haar hoofd opzij vallen. 'Vergeet het maar. Hoe is het met Danny?'

'Goed.' Tanja voelde dat Anneke haar vraag ontweek. 'Weet u zeker dat er geen Caroline is? Familie misschien? Ik bedoel, als ik iemand kan laten weten dat u hier ligt?'

'Nee, nee, het was gewoon een vergissing.'

'Heeft u dan helemaal geen familie meer?'

'Nee, lieverd. Ik heb nog een broer, maar we hebben al jaren geen contact meer.'

'Een broer?' Tanja veerde op. 'Maar moet hij dan niet weten...'

'Waarom?' Anneke klonk stellig. 'Iemand die nooit interesse in mij heeft getoond, hoeft ook niet te komen omdat ik toevallig doodga.'

'Maar wie komt er dan op uw...' Tanja stokte.

'Begrafenis?'

'Ja.'

'Kind, dat is onbelangrijk. Waar het om gaat is wie er nu is.' Ze pakte Tanja's hand. 'Jij, Thea, de kinderen. Van jullie hou ik.'

Anneke zuchtte diep. 'Ik... ik ben moe.' Ze trok haar hand terug. 'Het spijt me, maar ik doe even mijn ogen dicht, goed?' Ze sloot haar ogen. 'Niet weggaan, meisje van me,' fluisterde ze. 'Niet weggaan. Beloof je dat?'

'Ja, dat beloof ik,' antwoordde Tanja. 'Ik blijf hier. Ga maar even slapen.'

Terwijl Anneke langzaam in slaap viel, bleef Tanja ongerust aan de rand van het bed zitten. Het broze lichaam van Anneke ontspande. Tanja staarde naar de rustig op en neer gaande borstkas. Wat was ze kwetsbaar. Er was niets over van de grote, sterke vrouw die haar had opgevoed.

Na een halfuur opende Anneke haar ogen. 'Ben je er nog?'

Tanja schrok op uit haar gedachten. 'Ja, ik ben er nog. Dat had ik toch beloofd?'

'Luister.' Anneke probeerde haar hoofd op te tillen. 'Als ik dood ben, wil ik dat je...'

'Sst, niet zeggen. U gaat nog lang niet dood.'

Anneke glimlachte. 'Dat bepaal ik zelf wel, meisje. Mijn tijd zit erop. Ik heb een goed leven gehad.' Ze trok zich op aan Tanja's arm.

'In de boekenkast in mijn kantoor, derde plank.' Ze ademde zwaar. 'Achter Couperus... jouw naam... daar zit een kluisje. De code is je geboortedatum. De inhoud is voor jou.'

'Maar...' Tanja schudde haar hoofd. 'Ik...'

'Het is van jou en van niemand anders. Beloof me dat je het kistje gaat halen. Thea weet ervan. Zij weet alles.' Anneke liet zich op haar kussen terugvallen.

'Bijna alles,' fluisterde ze.

4

Slaap lekker

'Doe mij maar een kleine geitenkaassalade.' Tanja klapte de menukaart dicht. 'En een verse jus.' De ober pakte de menukaarten aan en verdween.

'Is dat alles?' Parrot trok de pet iets dieper over zijn voorhoofd.

'Ik heb eigenlijk niet zo'n trek,' mompelde Tanja. 'Ik moet steeds maar denken aan...' Ze stokte en keek omhoog om de tranen tegen te houden. 'Ze was zo mager en zwak.' Ze verschoof het bestek dat voor haar op tafel lag. 'Zij gaat dood en ik zit hier gezellig met jullie in een restaurant.'

Parrot schoof zijn stoel dichter naar haar toe. 'Je kunt niets doen, *sweety*. Of jij wel of niet wat eet, maakt voor Annekes ziekte niets uit. Ze zou juist willen dat je wat at.'

'Dat weet ik wel, maar...' Tanja slikte. 'Zo voelt het niet.'

'Hoelang...' Joan beet op haar lip. 'Sorry, stomme vraag.'

'Niet lang,' antwoordde Tanja. 'Ze heeft veel pijn. Ze krijgt nu alleen nog maar morfine. Zij beslist.' Ze zuchtte. 'En het ergste is dat ze niemand heeft. Ja, een verre broer waar ze geen contact mee heeft. Maar verder niemand. Geen familie, geen man of kinderen. Hoe eenzaam kun je zijn?'

'Ze was niet eenzaam,' zei Hanna. 'Ze had een heleboel kinderen waar ze voor zorgde. Iedereen in dat weeshuis was haar familie.'

'Toch is dat anders,' zei Joan. 'Die kinderen waren niet echt van haar.'

'Misschien, maar feit is dat ze haar leven in dienst van haar kinderen stelde. Dat doen moeders toch ook?'

'Maar ze ís het niet. Een moeder is heel iets anders.'

'O, en wat is volgens jou dan de definitie van moeder?' Hanna klonk geïrriteerd.

Joan pakte haar servet op. 'Doe nou niet zo moeilijk, zus. Je snapt best wat ik bedoel. Een moeder is iets anders dan een vrouw die je verzorgt.'

'Voor jou misschien,' reageerde Hanna. 'Maar mijn moeder was wel een echte moeder voor mij.'

'O, wil je nu beweren dat mijn moeder dat niet was?'

'Geen idee, jij begint erover.'

Joan schudde haar hoofd. 'Ik bedoelde alleen maar dat het Annekes werk was om die kinderen te verzorgen. Ze verdiende er haar geld mee!'

'Dus?'

'Dus niets. Dat was het.'

'Maar je bedoelt eigenlijk dat ze daardoor niet van die kinderen kan houden als een echte moeder?'

'Dat zeg ik toch niet, mens! Je moet luisteren.'

'Jullie hébben je moeder tenminste nog.' Tanja's zachte stem onderbrak de twee kemphanen.

Joan en Hanna zwegen.

'Anneke is mijn moeder,' vervolgde Tanja. 'Zo voel ik dat. Ik heb verder geen vergelijkingsmateriaal. Onze echte moeder is dood en waar het om gaat is dat ik nu ook Anneke kwijtraak.'

'Sorry,' stamelde Hanna. 'Dat was stom van ons.'

'Nogal, ja.'

Joan pakte Tanja's hand. 'Ga je morgen weer naar haar toe?'

'Ja.' Tanja keek naar Parrot, die glimlachte en knikte. 'Ik heb Mike al laten weten dat we deze week hier blijven. Hij regelt dat alle afspraken worden doorgeschoven. Dit gaat voor.'

'Thanks.' Tanja frummelde aan haar servet. 'Ik voel me zo onmachtig.' Ze keek op. 'Je wilt zo graag iets doen, maar je kunt niets!'

De ober kwam met de bestelling. 'Een verse tomatensoep?'

Joan stak haar hand op en de ober zette de grote soepkom voor haar neer.

'Een sateetje speciaal?'

'Voor mij,' zei Parrot. Hij leunde iets achterover om de ober de gelegenheid te geven het bord op tafel te zetten. Hun blikken kruisten elkaar en de ober glimlachte. 'U lijkt heel erg op Parrot, weet u dat?'

'Parrot?' vroeg Parrot. 'En dat is?'

'De zanger van The Jeans,' ging de ober verder. 'Band uit Engeland.'

'O, nou... leuk. Wil je mijn handtekening?'

De ober lachte. 'Nee, meneer. Ik denk niet dat die handtekening van u iets waard is.'

Een meisje zette de salade bij Tanja neer en de vis bij Hanna. 'Eet smakelijk.'

'Je had je pruik op moeten zetten,' siste Joan toen de ober en het meisje weg waren. 'Ik wil wel even rustig mijn eten kunnen opeten.'

'Zag je dat gezicht van die jongen?' Parrot lachte hartelijk.

'Je nam wel een risico toen je hem je handtekening aanbood,' zei Hanna.

'Ach welnee. Juist daardoor geloofde hij er niets van.'

'Mmm, lekker!' Joan brak een stukje brood af dat naast haar soepkom lag.

'Ja, deze vis is ook echt lekker,' zei Hanna.

'Heb ik al verteld dat mijn toets goed ging?' Joan straalde.

'Nee, vertel!' Parrot duwde een frietje in de satésaus. 'Welk vak?'

Terwijl Joan uitgebreid vertelde over haar toets, prikte Tanja een blaadje sla aan haar vork. Het vrolijke gepraat van haar zussen ging compleet langs haar heen. Gek eigenlijk. De wereld draaide rustig door, terwijl een paar kilometer verderop iemand lag dood te gaan die heel belangrijk voor haar was.

Met een half oor luisterde Tanja naar Hanna, die nu enthousiast haar weekendbelevenissen met Marc uit de doeken deed. Tanja had Marc een paar keer gezien tijdens de wintersportvakantie, maar verder kende ze hem niet. Zo te horen was Hanna helemaal weg van hem.

'En nu wil hij dat ik volgend weekend weer kom,' zei Hanna. 'Maar ik had al beloofd dat ik naar huis zou gaan.' Ze lachte. 'Dat bedoel ik nou. Een vriendje is leuk, maar er zit maar 24 uur in een dag. Hoe verdeel ik die tijd over alles en iedereen?' Ze keek naar Tanja. 'Hoe doe jij dat toch? Je nieuwe album, optredens, interviews. Hoe maak jij tijd voor Danny?'

Tanja schrok. Danny! Die wist nog van niets!

'Wat is er?' vroeg Hanna. 'Zeg ik iets verkeerds?'

'Nee... nee, ik...' Tanja stond op. 'Danny... Ik heb hem nog niets verteld. Ik moet even bellen.'

Terwijl ze naar buiten liep, toetste ze het nummer in. 'Dan?'

'*Bonsoir, ma chérie.*' Danny klonk opgewekt. 'Hoe is het?'

'Slecht.'

'O?'

Tanja vertelde in het kort wat er aan de hand was. 'Ik zit in Amsterdam, samen met Parrot.'

'Wil je dat ik kom?'

'Nee, nee, dat hoeft niet. Je kunt niets doen.'

'Jou vasthouden,' zei Danny. 'Dat lijkt me nu wel even nodig.'

'Nee, echt. Het gaat wel. Ik wilde alleen dat je het wist, voor het geval...'

Ze stopte met praten. 'Nou ja, ik weet niet hoe het gaat komende week.'

'Zo snel?'

'Kan.'

'Ik vind het echt heel erg voor je.'

'Ja.' Tanja huiverde. 'Ik ga weer naar binnen.'

'Doe je voorzichtig?'
'Ja.' Tanja knikte. 'Ik mis je.'
'Ik jou ook. Bel me als er iets verandert, goed?'
'Dag.' Ze maakte een kusgeluid en hing op.

De dagen die volgden waren hectisch en heel emotioneel. Tanja ging 's morgens vroeg met een taxi naar het ziekenhuis en kwam pas laat in de middag terug. Haar gesprekken met Anneke waren intens. Tussen haar rustmomenten door vertelde Anneke over vroeger. Over Tanja als baby, peuter en kleuter. Hoe ze was op de basisschool, welke vrienden ze had, wat ze uitspookte in de stad en hoe ze de kinderen in het weeshuis af en toe gek maakte met haar bazige gedrag. 'Je woonde het langst van iedereen in het weeshuis, en dus vond je dat je het recht had om de baas te spelen,' zei Anneke. 'Ik weet nog goed dat je Emiel opsloot in zijn kamer.'

Tanja glimlachte. 'Hij maakte een rommeltje van zijn kamer. Ik vond dat hij die eerst maar eens moest opruimen.'

De verhalen van Anneke maakten de dagen dragelijk. Ze lachten en huilden, zwegen en kletsten. Hun band was nog nooit zo sterk geweest. Tussendoor kwamen er kinderen op visite. Thea begeleidde ze en zorgde ervoor dat het bezoek niet te lang duurde.

Tanja vond het knap dat Anneke haar vrolijkheid bewaarde en de kinderen enthousiast vroeg naar hun belevenissen op school en in het weeshuis. Zo maakte ze de bezoekjes tot een feest en gingen de kinderen niet al te verdrietig naar huis.

Maar Tanja zag ook duidelijk hoeveel energie het Anneke kostte. Na zo'n bezoek sliep ze ruim een uur. Tanja bleef altijd geduldig bij haar zitten tot ze weer wakker was. In de namiddag ging ze dan naar huis. De avonden had Anneke rust nodig, vond de verpleging.

Thuiskomen was iedere keer een grote omschakeling voor Tanja. Van de stille en bedompte ziekenhuiskamer terug naar het gezellige, drukbezette grachtenhuis waar Hanna, Joan en Parrot meestal in een vrolijke stemming waren. Ze hielpen haar met hun enthousiaste verhalen over haar sombere buien heen en zo gaven de avonden haar weer nieuwe energie.

'Zeg nou zelf,' zei Joan toen Tanja zich op een late namiddag bij hen voegde. 'Je laat zo'n jongen toch niet wachten en smachten?'

'Ik zou niet weten waarom niet,' reageerde Hanna en ze keek naar Parrot die opstond en naar de keuken liep. 'Ik duik nu eenmaal niet meteen met een jongen in bed, zoals jij.'

'Wat?' Joan keek verontwaardigd. 'Nu doe je net alsof ik iedere jongen bespring.'

Tanja ging naast Joan zitten. 'Waar hebben we het over?'

'Over Marc,' zei Joan. 'Hij en Hanna hebben het nog...'

'Ja, nu weten we het wel,' zei Hanna. 'Laat mij gewoon mijn ding doen. Ik bemoei me toch ook niet met jouw relaties.'

'Ik heb er maar eentje,' zei Joan.

'Houden zo.' Hanna wendde zich tot Tanja. 'Hoe was het?'

'Hetzelfde. Wat hebben jullie gedaan?'

‘Wij zijn naar het Rijksmuseum geweest,’ zei Hanna. ‘Mooi geworden.’

‘Ik niet, hoor,’ zei Joan. ‘Ik was shoppen met Tessa.’ Ze wees naar de knalgele jurk die aan de kastdeur hing. ‘Hoe vind je hem?’

Tanja probeerde haar gezicht in de plooi te houden. ‘Eh... mooi.’

‘En bedankt!’ Joan sloeg haar armen over elkaar heen. ‘Ben ik dan de enige die mode waardeert?’

‘Ligt eraan wat je onder mode verstaat,’ zei Hanna glimlachend.

‘Retro is ook erg in,’ zei Tanja en ze gaf Hanna een knipoog. ‘Zoiets droegen ze in de vorige eeuw, toch?’

‘O, gaan we op die toer?’ zei Joan. ‘Jullie hebben er totaal geen verstand van. Dat hoor ik wel.’

‘Nee en dat wil ik graag zo houden.’ Hanna glimlachte. ‘Mode is jouw specialiteit. Ik ben meer van de serieuze zaken.’

Joan schoot in de lach. ‘Zoals?’

‘Nou, gewoon. Politiek of economie. Marc en ik zitten wat dat betreft op hetzelfde level.’

‘Ja, ja, heel verleidelijk, hoor.’ Joan stond op en haar stem veranderde van toon. ‘Ik hoor het Marc zeggen: zeg schatje, zullen we vanavond in bed de inflatie eens even doornemen? O, Marc, wat romantisch!’

Tanja glimlachte. Haar zussen waren weer lekker bezig.

‘Iemand thee?’ Parrot kwam de kamer in met een pot thee in zijn ene en een schaal broodjes in zijn andere hand.

Joan liep naar de keuken en kwam terug met glazen. ‘Goed idee van je, Parrot, om langs Dobbe te gaan,’ zei ze. 'Er zit ook een broodje ei-tomaat bij voor jou.' Ze keek naar Tanja die knikte.

'Er is één broodje ossenworst,' zei Joan. 'Wie?'

'Neem jij maar,' zei Hanna. 'Ik heb meer trek in halfom.'

'Ik dacht dat jij niet van lever hield?' vroeg Parrot.

'Hoe kom je daar nu bij?' Hanna nam een hap van haar broodje. 'Mmm, lekker juist.'

Tanja legde haar kin op haar opgetrokken knieën. Ze was blij met de gezellige drukte hier in huis. Hoe zou het met Anneke zijn? Zou ze slapen? Ze was vandaag zichtbaar zwakker geweest dan gisteren. Volgens de arts die vanmorgen langs was gekomen ging het harder achteruit dan ze hadden gedacht. Anneke had laconiek gereageerd, maar Tanja wist dat het hard was aangekomen. Ook bij haar. Hoelang hadden ze nog? Tanja had nog zoveel vragen.

Toen ze vanmiddag afscheid had genomen, sliep Anneke al. Voorzichtig had ze een kus op Annekes voorhoofd gedrukt. Het voelde raar nu ze eraan terugdacht. Tanja had Anneke nog nooit gekust. Vroeger niet en ook de afgelopen dagen niet. Maar nu ging het vanzelf. Alsof het zo hoorde. Er liep een rilling over Tanja's rug. Steeds weer zag ze het bleke gezicht van Anneke voor zich en voelde ze de broze huid tegen haar lippen. Waarom moest ze steeds denken aan dat afscheid?

'En morgen heb ik ook maar vier uur,' zei Joan. 'Kunnen we weer iets leuks doen.'

'Ik niet,' zei Hanna. 'Maar jullie kunnen wel ergens naartoe gaan. Er schijnt een leuke tentoonstelling te zijn in de Expo,' zei Hanna.

‘Zeker weer iets saais,’ reageerde Joan.

‘Nee, hoor. Helemaal niet. Het gaat over goud en sieraden en...’

Joan ging rechtop zitten. ‘O, in dat geval... wanneer gaan we?’

Hanna schoot in de lach. ‘Ik was nog niet uitgesproken. Het is een expositie over de oude Egyptenaren.’

‘O.’ Het teleurgestelde gezicht van Joan kreeg zelfs Tanja aan het glimlachen.

‘Heel interessant,’ ging Hanna verder.

‘Nou, reuze.’ Joan zuchtte. ‘Ik bedank. Misschien dat Parrot...’

Op dat moment ging Tanja’s telefoon en Joan zweeg. Alle blikken richtten zich op Tanja.

‘Met Tanja Couperus.’

Langzaam drong tot haar door wie ze aan de lijn had. ‘Ja...’ Haar ogen brandden en ze slikte. ‘Echt? Maar hoe...’

Het was alsof alle zuurstof uit haar longen werd gezogen.

‘O, nee.’

Ze voelde Parrots arm om haar heen.

‘Maar de dokter zei...’

Ze knikte. ‘Ja, oké. Bedankt.’

De telefoon gleed uit haar hand en viel op haar schoot.

‘Ze is dood.’ Het geluid van haar eigen stem deed haar schrikken.

‘Anneke?’ Joan blies de stoom boven haar theeglas weg.

‘Ja, wie anders!’ Tanja’s stem sloeg over. ‘Mens, denk

even na voor je iets zegt.' Tanja voelde haar lichaam trillen.

'Rustig maar.' Parrot sloeg zijn armen om Tanja heen en duwde haar stevig tegen zich aan. 'Rustig.'

Tanja voelde haar lichaam schokken. Ze kon haar tranen niet meer inhouden.

5

Afscheid

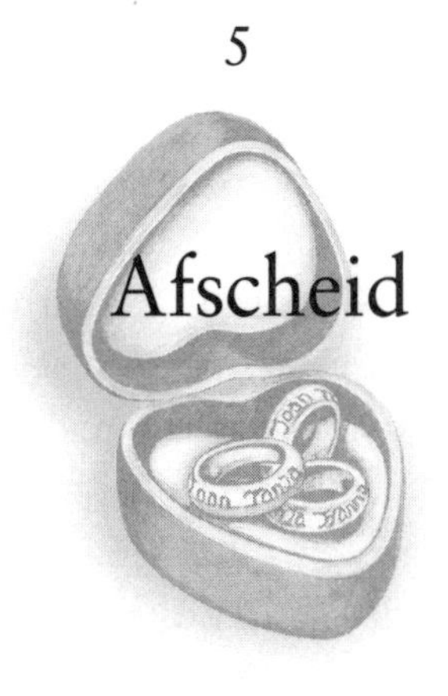

‘We zijn er.’ Thea’s stem trilde.

Tanja voelde de wagen tot stilstand komen en opende het portier. Een stevige windvlaag rukte eraan. Tanja rilde. De wind zwiepte de uitbottende takken van de bomen heen en weer. Het was nog droog, maar aan de lucht te zien zou de bui zo losbarsten. Anneke had niet echt een stralende dag uitgekozen voor haar begrafenis.

Tanja stapte uit, gevolgd door Parrot. De rit van het afscheidscentrum naar de begraafplaats had niet lang geduurd. Gelukkig maar. De beklemmende stilte in de wagen was ondraaglijk geweest. Zij en Parrot hadden zwijgend op de achterbank gezeten. Thea, die voorin zat, had constant zitten snotteren. Het ritmische ophalen van haar neus was het enige geluid geweest.

Tanja haalde diep adem en bedwong haar tranen. De afgelopen dagen had ze genoeg gehuild. Urenlang, alsof er een laadklep vol tranen werd leeg gekieperd. Alle spanning van de afgelopen tijd was eruit gekomen. Parrot had haar gesteund en was constant in haar buurt gebleven. Samen hadden ze Thea geholpen met het regelen van de begrafenis. Er waren heel wat kaarten op de bus gegaan, ze hadden een advertentie in de kranten gezet en ze hadden de grootste ruimte die ze konden vinden afgehuurd voor de afscheidsdienst. Als de helft van alle mensen die ze een kaart hadden gestuurd ook daadwerkelijk zou komen, kon het nog wel eens druk worden. Mooi! Anneke verdiende een groots afscheid. Ze had haar hele leven in dienst gesteld van haar kinderen. Velen van hen waren nu volwassen en hadden zelf kinderen.

Tanja keek naar de mensen die bij de ingang stonden te wachten tot ze naar binnen mochten. Ze herkende zo snel niemand. Ook Joan en Hanna waren er nog niet. Ze hadden beloofd te komen, waar bleven ze? Wel zag ze de kinderen uit het weeshuis met bloemen in hun hand bij de deur staan. De begeleiders waren erbij.

'Kom.' Ze voelde een hand op haar schouder en liep met Parrot mee naar de zijingang. Thea was al naar binnen gegaan. Vanuit haar ooghoeken zag ze vier mannen met een zwarte pandjesjas aan de kist uit de wagen halen en naar binnen tillen. Ze slikte. De kist leek zo klein. Paste Anneke daar wel in? Had ze het niet koud? Er ging van alles door haar hoofd.

'Joan redt het niet,' fluisterde Parrot. 'Ze is met haar scooter tegen een auto gereden en wacht op de politie. Niets ernstigs, maar wel papierwerk.'

'Lekker dan.' Tanja keek grimmig. 'Net nu.'

'Zoiets doe je niet expres,' zei Parrot. 'Wees blij dat ze er heelhuids vanaf is gekomen. Ik moest je veel sterkte wensen.'

Op dat moment voelde Tanja haar telefoon gaan. De naam in het display lichtte op. 'Hanna?'

'Tan, sorry. Kim zit in de problemen. Ze belde net. Helemaal over haar toeren. Iets met een gozer op school die haar bedreigt. Mijn ouders zijn niet thuis, dus ik moet nu naar haar toe.'

'Ja, maar...'

'Echt, het spijt me, maar ik ben de enige die haar kan helpen.'

Tanja wilde nog wat zeggen, maar Hanna had al opgehangen.

'Komt ze niet?' Parrot keek bezorgd.

'Nee,' bromde Tanja. 'Ze moest haar zusje bijstaan in moeilijke tijden.' Tanja wist hoe gepikeerd ze klonk.

'Logisch toch?' ging ze verder. 'Zusjes kun je niet in de kou laten staan.'

Ze balde haar vuisten en probeerde haar woede onder controle te houden. Juist nu ze haar zussen het hardst nodig had, lieten ze haar zitten. Wat was dit? Zij was de échte zus van Hanna! Kim was een halfzusje. Ging die dan voor?

'Niet doen, Tanja.' Parrot sloeg zijn arm om haar heen. 'Ik ben er.'

'Ja, jij bent er,' zei Tanja zacht. Ze keek op. 'Waarom eigenlijk?'

Parrot keek verbaasd. 'Ik ben je vader!'

'Ja, precies.'

'Wat bedoel je?'

Tanja haalde haar schouders op. 'Niets. Vaders doen dat, omdat ze vader zijn.'

'En omdat ze van hun dochter houden.' Parrot gaf haar een kus. 'En nu gaan we naar binnen.'

'Pardon, ik zoek Thea van Dongelen.' Een man van een jaar of vijftig kwam naar hen toe gelopen. Hij stak zijn hand uit. 'Verstraaten, de broer van Anneke.' Hij glimlachte. 'Ik hoop dat ik nog op tijd ben? Mijn trein had vertraging.'

Tanja observeerde de man aandachtig. Hij had dezelfde gelaatstrekken als Anneke. De smalle kin, de hoge jukbeenderen; zelfs de kleur van zijn ogen was hetzelfde. Ze schudde de man de hand.

'Dag, ik ben Tanja Couperus.'

De man fronste zijn wenkbrauwen, maar zei niets.

'Thea is al naar binnen,' ging Tanja verder. 'Gaat u mee?'

Ze liepen samen de ontvangstruimte in en meneer Verstraaten maakte kennis met Thea, die hem hartelijk begroette.

'O, wat fijn dat er toch nog familie is.'

'Ik hang even onze jassen op.' Parrot verdween met de jassen naar de gang.

Tanja leunde tegen de muur en observeerde de man die met Thea stond te praten. Anneke had al jaren geen contact meer met haar broer, en nu ze dood was kwam hij naar haar begrafenis. Waarom was hij niet bij zijn zus geweest toen ze nog leefde?

'Ik wilde mijn zus toch nog de laatste eer bewijzen,' sprak de man. Hij keek om zich heen. 'Best druk, zie ik.'

'Ja, uw zus was zeer geliefd,' zei Thea. 'Niet alleen bij alle kinderen die ze in de loop der jaren heeft opgevangen, maar ook bij de mensen uit de buurt van het weeshuis.'

'Is er nog ruimte voor een klein dankwoord van mijn kant?'

'Maar natuurlijk, meneer Verstraaten. U bent haar enige familielid. Ik weet zeker dat ze dat op prijs zou stellen.'

'Is er al bekend wanneer het testament wordt geopend?'

Tanja spitste haar oren.

'Eh... nee,' zei Thea. 'Naar mijn weten is er geen echt testament.' Ze glimlachte. 'Anneke had niet veel bezittingen. Alles stond in dienst van de kinderen.'

Meneer Verstraaten knikte. 'Ja, dat is ook zo. Lief van haar.'

'Er zijn wat sieraden en er is een kleine spaarrekening,' ging Thea verder. 'Maar Anneke heeft aangegeven dat ze alles aan het weeshuis nalaat.'

Tanja zag de teleurstelling op het gezicht van Annekes broer en ze beet op haar lip. Die man kwam helemaal niet voor zijn zus, hij kwam voor haar geld.

'Dat is mooi,' zei meneer Verstraaten.

'Maar niet heus,' mompelde Tanja.

'En haar dochter?'

Tanja voelde zich zeer ongemakkelijk toen meneer Verstraaten haar, bij het uitspreken van de woorden, met een schuin oog aankeek. Wat dacht hij wel niet? Dat zij Annekes dochter was? Belachelijk! Hij wist niet eens dat Anneke geen kinderen had.

Thea verschoot van kleur. 'Zoals ik al zei, Annekes grootste erfenis is de liefde die ze had voor haar werk.'

Meneer Verstraaten glimlachte. 'Heeft ze dat vastgelegd bij een notaris?'

'Nee, hoor.' Thea schudde haar hoofd. 'Dat heeft ze mij gewoon verteld.'

'Hm.'

Tanja zag dat de man nadacht en was op haar hoede. Dit kon nog wel eens heel vervelend worden. Ze moest hem voor zijn.

'Meneer Verstraaten?' Ze kwam naar hem toe. 'Het zou heel fijn zijn als u na afloop van de begrafenis een bezoekje zou brengen aan het weeshuis. Dan kunt u met eigen ogen zien hoe uw zus zich haar leven lang voor anderen heeft ingezet. De kinderen leiden u graag rond en misschien kunt u een donatie doen om het werk van uw zus voort te zetten?'

Thea glunderde. 'O, dat zou fantastisch zijn. We kunnen u de boeken laten zien. Er is op dit moment weinig reserve, dus alles is welkom.'

Meneer Verstraaten verbleekte. 'Nou, eh... dat wordt een beetje moeilijk.' Hij keek op zijn horloge. 'Ik heb niet zo heel veel tijd.'

'Jammer.' Tanja zette haar vriendelijkste gezicht op. 'Maar wat enorm lief van u dat u hier toch nog even kon komen.'

'Ja.' Meneer Verstraaten knikte. 'Familie, hè? Daar doe je het voor.'

Een medewerker van het uitvaartcentrum vroeg om aandacht. 'De gasten hebben in de zaal plaatsgenomen. Mag ik u verzoeken mee naar binnen te gaan?'

Parrot liep naar Tanja toe en pakte haar hand. 'Kom, dochterlief. Daar gaat-ie.'

'Het is goed zo.' Thea sloeg haar armen om Tanja heen.

Het was vroeg in de avond en ze stonden in het kantoor van Anneke. Tanja was na afloop van de begrafenis met Thea meegegaan naar het weeshuis. Zonder Parrot.

Ze had hem uitgelegd dat hij gewoon naar huis kon gaan. 'Vertel jij Joan en Hanna maar hoe het was,' had ze gezegd. 'Ik wil even tijd voor mezelf.'

'Ik vind het fijn dat je er bent,' zei Thea. 'Zal ik thee maken?'

'Ja, lekker.' Tanja maakte zich los uit haar armen. 'Ik hoor hier te zijn, al was het alleen maar om de kinderen en jou te steunen.' Ze dacht aan Joan en Hanna die verstek hadden laten gaan en nu thuis op haar zaten te wachten. 'Kan ik vannacht ook hier blijven?'

'Natuurlijk mag dat.' Thea haalde diep adem. 'Ik zal een van de kamers in orde maken voor je.' Ze keek naar de boekenkast. 'Ik laat je even alleen, goed?'

Tanja aarzelde.

'Ik weet ervan,' ging Thea verder. 'Anneke heeft me verteld over het kistje in de kluis.'

'O.'

Thea liep naar de deur. 'Als je me nodig hebt, hoor ik het wel.' Ze verliet het kantoor en sloot de deur achter zich.

Tanja leunde tegen het eikenhouten bureau. Minutenlang bleef ze zo staan. De stilte in het kantoor was beklemmend en heerlijk tegelijk. Thea wist ervan. Ze was het zelf al vergeten, maar dankzij Thea herinnerde ze zich wat Anneke had gezegd.

'Couperus,' fluisterde ze. De boeken stonden op alfabetische volgorde in de kast. 'Auel... Biegel... Claus...' Tanja trok het boek Eline Vere van Louis Couperus naar zich toe. Ze glimlachte. Ze had er nooit over nagedacht, maar misschien was ze wel familie van deze grote schrijver.

Haar blik richtte zich op de kleine metalen deur achter in de boekenkast. Er zat een cijferslot op en ze dacht terug aan de woorden van Anneke: 'De code is je geboortedatum. De inhoud is voor jou.'

Tanja schoof wat boeken opzij en draaide het slot op de cijfers 7-5-1988, haar geboortedatum. De deur van het kluisje week geen millimeter. Ze trok nog eens, maar de kluis bleef op slot.

'Hm.' Haar vingers zetten het slot op 07-05-88, maar weer ging de kluis niet open. 'Vreemd,' mompelde ze.

Er werd op de deur geklopt. 'Tanja?' Het was de stem van Thea. 'Mag ik binnenkomen? Ik heb een kopje thee voor je.'

'Kom maar.' Tanja hoorde de deur achter zich opengaan. 'Kun je me mooi helpen.'

Thea zette een theeglas op het bureau en kwam naast haar staan. 'Gaat het niet?'

'Nee, Anneke zei dat mijn geboortedatum de code was.'

'En dat lukt niet?'

'Nee, ik heb maar één geboortedatum. Zeven mei negentienachtentachtig. Meer kan ik er niet van maken.'

Thea dacht na. 'Misschien...' Ze liep naar voren en draaide aan het slot. Er klonk een luide klik en toen draaide Thea de deur van de kluis open.

'Nou moe, hoe kan dat nou?' Tanja keek Thea verbaasd aan. 'Wat deed ik verkeerd?'

'Niets, het moest een andere datum zijn.'

'Andere datum? Maar Anneke weet toch wel wanneer ik jarig ben?'

Thea sloeg haar ogen neer. 'Ze was vast in de war.'

'Ja, dat moet haast wel.' Tanja voelde zich onrustig. Er

klopte iets niet. 'Maar, wacht eens even. Welke datum heb jij dan gedraaid?' Ze boog voorover en bekeek het cijferslot. '150488?'

'Ja... eh... de dag dat ze hier kwam werken.'

'O.' Tanja lachte. 'Goed dat je dat nog wist.' Ze haalde een houten kistje uit de kluis en zette het op het bureau neer.

'Wil je dat ik wegga?' vroeg Thea.

'Nee hoor, waarom? Ik wil graag dat je erbij bent. Weet jij wat erin zit?'

Thea schudde haar hoofd. 'Nee.'

Heel even twijfelde Tanja aan haar antwoord, maar ze liet het los. Waarom zou Thea hierover liegen?

Ze opende het kistje en staarde naar de inhoud. 'Aaah, wat schattig.' Haar vingers tilden een roze gebreid vestje omhoog. 'Was dit van mij?'

Thea knikte. 'Ja, ik weet nog dat je dat droeg toen je bij ons kwam.'

Tanja legde nog wat babykleertjes op het bureau. 'We waren wel heel erg roze.'

Ze zag een paar vergeelde foto's. 'Dat ben ik,' riep ze toen ze de eerste foto bekeek. 'Met Joan en Hanna. Kijk!'

Thea boog zich over de foto. 'Ja, dit was in het ziekenhuis waar je moeder lag na dat ongeluk.'

Tanja staarde naar de vrouw op de foto. Ze lag in een bed met witte spijlen, met drie peuters om zich heen. Naast het bed stond een jongen met een wit uniform aan. Zo te zien een verpleger. Zijn gezicht kwam haar vaag bekend voor, maar ze richtte haar aandacht op haar moeder.

'Christa,' fluisterde ze. Het was vreemd om haar moeder zo te zien. Waarom had Anneke deze foto nooit aan haar laten zien? Ze had niets anders van haar moeder dan het medaillon, met een piepkleine foto erin. 'Wie heeft deze foto genomen?'

'Geen idee.' zei Thea. 'Misschien een verpleegster?'

Tanja keek naar de jongen naast het bed en knikte. 'Ja, dat zal wel.' Ze bekeek de andere foto's. Er waren drie losse babyfoto's. Achter op iedere foto stond een naam geschreven. 'Kijk, dit is Joan. En dit is Hanna. Zie je hoe serieus ze toen al keek?' Ze draaide de derde foto om. 'Dit ben ik. Kijk dan, hoe schattig.'

Ze staarde naar de baby op de foto en ging zitten. 'Anneke heeft dit al die tijd bewaard,' fluisterde ze.

'Ja.'

'Maar waarom heeft ze ons dit nooit laten zien?' Tanja keek naar de kleertjes, de foto's. 'Wat zullen Joan en Hanna dit leuk vinden.' Bij het uitspreken van hun namen voelde ze een steek in haar buik, maar ze herstelde zich. Ze streelde met haar wijsvinger over de gezinsfoto. Vertederd keek ze naar het bezorgde gezicht van haar moeder. Wat moest ze verdrietig zijn geweest. Een drieling alleen opvoeden en dan een ongeluk krijgen en weten dat je je kinderen niet meer kunt zien opgroeien.

'Wist ze hier al dat we naar het weeshuis gingen?'

'Dat... dat weet ik niet,' antwoordde Thea.

Tanja's ogen gleden af naar de drie babyfoto's voor haar op tafel. Een drieling, en toch zo verschillend. Joan en Hanna droegen hetzelfde zachtroze jurkje met roze strikjes. Zij niet. Zij droeg een groene trappelzak. Stoer en grappig. Het klopte precies. 'Je kon toen al zien dat ik anders was dan mijn zussen,' zei ze.

Ze draaide de foto's een voor een om. De namen op de foto's van Joan en Hanna waren met een sierlijk handschrift in blauwe inkt geschreven. Haar naam stond in groene blokletters achterop. Ze fronste haar wenkbrauwen.

'Wat gek,' fluisterde ze.

'Wat?'

'Mijn naam is door iemand anders geschreven.' Ze liet de achterkant van de drie foto's zien terwijl ze de uitdrukking op Thea's gezicht observeerde. Er was iets. Ze voelde het, maar kon er geen grip op krijgen.

Ze schoof het kistje naar zich toe en haalde er de laatste voorwerpen uit. Een speen, drie hemdjes, een paar babysokjes en nog een losse foto van een baby op de arm van een jonge vrouw. Tanja fronste haar wenkbrauwen en bracht de foto dichter bij haar gezicht.

'Is dat Anneke?' vroeg ze. Ze liet de foto aan Thea zien. 'Ze lijkt er wel op!'

Het gezicht van Thea werd knalrood en Tanja's onbehaaglijk gevoel werd groter. 'Wat is er?'

'Die foto,' stamelde Thea.

'Ja?'

'Dat is een vergissing.'

'Een vergissing?'

Thea wilde de foto van Tanja overnemen, maar Tanja stak haar arm naar achteren. 'Thea, kom op! Wat is er aan de hand? Je doet raar.'

'Niets. Die foto hoort gewoon niet in het kistje te zitten.'

'Dus je weet wie het is?'

Thea zweeg. Tanja draaide de foto om maar er stond

geen naam op de achterkant. Wel een datum. '15 april 1988,' las ze voor. '1-5-0-4-8-8,' fluisterde ze. 'De code van de kluis.'

Ze keek naar Thea. 'Wie is deze vrouw? Is het Anneke?'

'Ja.' Thea slaakte een diepe zucht. 'Ja, dat is Anneke.'

Tanja glimlachte. 'Wat was ze hier jong, zeg.' Ze keek op. 'En wie is die baby dan?' Ze staarde naar de foto. 'Dat lijk ik wel. Moet je kijken, die donkere haren en die ogen.' Ze pakte haar eigen babyfoto van de tafel en fronste haar wenkbrauwen. 'Hm, maar dat kan niet, toch?' mompelde ze. 'In april 1988 waren wij nog helemaal niet geboren.' Ze keek op. 'Is het een baby die in het weeshuis woonde? Grappig dat ze op mij lijkt.'

'Alle baby's lijken op elkaar,' zei Thea. 'Wil je nog thee?'

Tanja liet zich niet afleiden. 'Thea, die datum...' Ze dacht na. 'Dat is niet de dag dat Anneke hier kwam werken, hè?'

'Nee.' Thea sloeg haar ogen neer.

'En die baby?'

'Dat... dat is Annekes dochter.'

6

Alleen

'Ze zegt dat ze eraan komt.' Joan legde haar telefoon neer. Het was zaterdag en ze zaten te wachten op Tanja. 'En dat ze al gegeten heeft.' Haar gezicht betrok. 'Ik regel nog eens een lunch. 'We hadden toch duidelijk afgesproken dat we samen zouden lunchen? Het is al drie uur. Wat heeft ze al die tijd in dat weeshuis gedaan? Waarom is ze gisteravond niet thuisgekomen?'

'Laat haar nou maar even,' zei Parrot. 'Ze heeft heel wat te verwerken.'

Joan keek naar de gedekte tafel. 'Nou, dan ruim ik maar af. Jij nog wat?'

Parrot schudde zijn hoofd. 'Nee, dank je.' Hij keek naar Hanna. 'Wacht je nog even of moet je nu weg?'

'Ik heb mijn ouders gebeld dat ik morgen kom,' zei Hanna. 'Geeft niet. Met Kim gaat het goed nu. Het is weekend, dus even rust.'

'Fijn, Tanja heeft ons nu nodig, meiden.' Parrot stapelde de borden op. 'Dat jullie er gisteren niet bij konden zijn was een grote teleurstelling voor haar.'

'Ik rij niet expres tegen een auto aan, hoor,' bromde Joan. 'Mijn scooter is van voren helemaal ingedeukt.'

Hanna schoof de jam op het dienblad. 'Ze neemt ons heus niets kwalijk. Kim had me nodig en jij stond vast. Heel ongelukkig allemaal, maar zoiets kan gebeuren. Parrot was bij haar.'

'Laten we maar een beetje lief zijn,' zei Parrot. 'Anneke was toch een soort moeder voor haar.'

Ze hoorden de voordeur opengaan.

'Daar zul je haar hebben.' Parrot liep naar de gang en begroette Tanja met een omhelzing. 'Ha, lieverd. Fijn dat je er bent. Gaat het?'

Tanja knikte. 'Ja, hoor.' Ze zette de tas neer en trok haar jas uit.

Hanna en Joan kwamen de gang in gelopen.

'Hé Tan!' Hanna gaf haar zus een kus. 'Hoe gaat het?'

'Prima.'

Joan omhelsde Tanja. 'Wat een gedoe, zeg. Sorry, maar ik kon er echt niets aan doen. Het was mooi, hoorde ik?'

'Ja.' Tanja pakte haar tas op. 'Ik ga naar mijn kamer.' Ze liep de trap op.

'Maar we...' Joan aarzelde.

'Wat?' Tanja stond stil en draaide zich om.

'Zal ik thee zetten? Hanna heeft bonbons gehaald. Kunnen we even bijpraten.'

'Nee, dank je. Ik ben liever even alleen, goed?'

'Ja, ja... tuurlijk.'

Terwijl Tanja naar boven liep, keken Hanna en Joan elkaar aan.

'Tanja?' Parrot hield de leuning van de trap vast en verhief zijn stem. 'Kom je straks naar beneden dan?'

'Ja, misschien.'

Een deur viel dicht en toen was het stil.

'Nou ja.' Joan keek verontwaardigd. 'Ze had net zo goed niet naar huis hoeven komen.'

'Laat haar maar even,' zei Parrot. 'Ze komt straks wel.'

'Zou je denken?' Joan keek omhoog. 'Wat is dat toch met haar? Altijd als er iets emotioneels gebeurt, trekt ze zich terug.'

'Iedereen reageert anders op emoties.'

'Kan wel wezen, maar ze moet ook rekening houden met anderen.'

Hanna lachte. 'Met ons bedoel je?'

'Ja, we zouden dit weekend met zijn vieren zijn. Jij hebt je weekend bij je ouders afgezegd en ik heb me gisteravond gek gewerkt om mijn huiswerk voor maandag af te krijgen. Parrot heeft afspraken verzet... dit is niet leuk!'

'Het gaat om Tanja,' zei Parrot. 'Wij kunnen wel van alles regelen, maar als ze liever alleen is, dan moeten we dat respecteren.'

'Wat zat er in die tas?' vroeg Hanna.

'Tas?'

'Ja, ze had een boodschappentas bij zich met een doos erin.'

'Geen idee, misschien spulletjes uit het weeshuis?' Parrot liep terug naar de kamer. 'Ik ga de krant lezen.'

'Wat doen wij?' Hanna wierp Joan een veelbetekenende blik toe en keek daarna naar de trap. 'Proberen?'

Joan haalde haar schouders op. 'Ik weet het niet, hoor. Als ze echt alleen wil zijn?'

'Nee hebben we.' Hanna liep de trap op en draaide zich halverwege om. 'We kunnen haar toch niet alleen laten?'

'Je hebt gelijk,' zei Joan en even later stonden ze voor de deur van Tanja's kamer.

'Kloppen?' Hanna hief haar hand al.

'Tanja?' Joans stem klonk luid en duidelijk. 'Doe alsjeblieft open.'

Er klonk geschuifel achter de gesloten deur.

'We willen bij je zijn,' vulde Hanna aan.

'Ja, alleen is maar alleen,' ging Joan verder. 'En Anneke was voor ons ook belangrijk.'

De deur zwiepte open en het verhitte gezicht van Tanja kwam tevoorschijn. 'O ja? Als ze dan zo belangrijk was voor jullie, waarom waren jullie er dan niet gisteren? Laat staan dat jullie een keer mee zijn geweest naar het ziekenhuis.'

Er viel een beklemmende stilte. Tanja stond met gespreide armen in de deuropening en blokkeerde de toegang.

'Mogen we binnen komen?' vroeg Hanna. 'Dit praat wat ongemakkelijk.' Haar blik gleed naar de boodschappentas die in het midden van de kamer op de grond lag. Er stond een kistje naast, het deksel open. Hanna zag een glimp van roze stof.

'Nee, even geen behoefte aan,' zei Tanja en deed een stap opzij zodat Hanna geen zicht meer had op de tas en het kistje. 'Ik heb toch gezegd dat ik even alleen wilde zijn?'

'Toe, Tan,' zei Joan. 'Maak het niet erger dan het is.'

'Jullie hebben me gewoon keihard laten barsten.'

Hanna schudde haar hoofd. 'Dat is niet waar. Ik moest naar...'

'Ja, ja, je halfzusje had je nodig,' brieste Tanja.

'Ja, ze...'

'Ik had je ook nodig, Hanna. En ik ben je echte zus.'

Hanna's gezicht betrok. 'Dat is niet eerlijk.'

'Er is zoveel niet eerlijk.' Tanja keek naar Joan. 'En jij had makkelijk een taxi kunnen nemen. Die agent had je zelfs kunnen brengen als je het een beetje handig had aangepakt. Maar ja... dit kwam je beter uit natuurlijk.'

'Wat bedoel je daarmee?' Joans stem trilde.

'Precies wat ik zeg. Als jij iets echt wilt, dan lukt het je ook, Joan. Dat weet je heel goed. Ik behoor kennelijk niet tot jouw prioriteiten.'

'Doe niet zo raar. Ik wilde juist heel graag komen. Anneke heeft ons toch ook opgevangen toen Christa overleed?'

'Precies. En daarom hadden jullie erbij moeten zijn.'

Hanna deed een stap naar voren. 'We willen geen ruzie. Het is gebeurd en dat kunnen we niet meer terugdraaien. Alsjeblieft, we zijn er nu toch voor je? We hebben een heel weekend met z'n vieren. Joan en ik hebben alle afspraken afgezegd. Laten we deze gelegenheid benutten om...' Weer keek ze naar het kistje op de grond.

'Deze gelegenheid? Noem jij het overlijden van Anneke een gelegenheid?'

Hanna fronste haar wenkbrauwen, maar zei niets.

'En wat bedoel je daar nou weer mee?' zei Tanja.

'Niets, helemaal niets.' Hanna zuchtte en wendde zich tot Joan. 'Kom, we gaan. Alles wat we zeggen of doen valt nu toch verkeerd.'

Joan keek Tanja onderzoekend aan, maar die ontweek haar blik. 'Ja, misschien wel beter inderdaad,' zei ze. 'Kom.' Ze liep achter Hanna aan naar de trap.

'Als je je bedenkt...' zei Hanna met haar hand al aan de trapleuning.

Tanja reageerde niet.

Terwijl Joan en Hanna naar beneden liepen, hoorden ze de deur boven dichtgaan.

'Waarom doet ze nou zo?' vroeg Joan.

'Geen idee.'

Joan liep naar de keuken. 'Thee?'

'Ja, doe maar.' Hanna ging aan de keukentafel zitten en Joan zette drie theeglazen op tafel neer.

'Denk je dat ze ergens mee zit?' Hanna leunde achterover.

'Hoezo?'

'Nou, ik weet niet... Als Tanja zichzelf afsluit, is er meestal wat aan de hand.' Hanna dacht terug aan de boodschappentas en het kistje op de grond van Tanja's kamer.

'Ze is gewoon superverdrietig.' Joan pakte de theepot. 'Wat zou er anders moeten zijn?'

'Geen idee, maar het voelt niet goed. En het heeft iets te maken met wat er in die tas zat.'

'Tas?' Joan zette een gevulde theepot op tafel.

'Ja, die ze bij zich had. Ik zag daarnet een kistje op de grond staan met iets rozes erin.'

'Roze?' Joan lachte. 'Tanja en roze, dat gaat echt niet samen.'

'Nee, daarom juist.' Hanna dacht terug aan het moment dat Tanja hun de toegang tot haar kamer versperde. 'Ze wilde niet dat wij het zagen.'

'Vreemd.'

'Ja, en daarom denk ik dat we moeten doorzetten, want...'

Er klonk een geluid op de overloop en Hanna zweeg. Het bleef verder stil. Ze haalde haar schouders op. 'Nou ja, in ieder geval wil ik niet opgeven.'

'Ik wel,' zei Joan. 'Als er al iets is, wil ze dat overduidelijk niet met ons bespreken.'

'Maar ze heeft verder niemand,' ging Hanna verder. 'En je weet hoe koppig ze kan zijn. Ik vergeef het mezelf nooit als er echt iets is waarmee we hadden kunnen helpen. We zijn haar enige familie! Parrot is er, wij zijn er... MZZLmeiden laten elkaar niet in de steek, toch?'

Joan zuchtte. 'Je hebt misschien wel gelijk, maar als Tanja niet wil, houdt het op.'

'Sinds wanneer laten we ons tegenhouden door wat Tanja wil?'

'Ik weet het niet, hoor,' zei Joan. 'We verschillen gewoon te veel van elkaar. Dat is altijd al zo geweest.'

'Doe niet zo gek.'

In de verte sloeg een deur dicht.

'Het is gewoon zo,' ging Joan verder. 'Ik bedoel... dat kan toch? We worden ouder, hebben ons eigen leven. Ik heb Brent, jij gaat nu met Marc. Tanja woont in Londen, wij hier. Alles bij elkaar niet echt een ideale situatie om hartsvriendinnen te blijven.'

'MZZLmeiden!' verbeterde Hanna haar.

'*Whatever.*'

'Afstand is nooit een belemmering geweest,' zei Hanna die drie glazen volschonk en op het dienblad zette. 'En dat we verschillend zijn ook niet. Tanja heeft het gewoon even moeilijk nu. We zijn zusjes, Joan! We steunen elkaar door dik en dun.' Ze stond op. 'Kom, dan gaan we naar Parrot toe. Ze draait heus wel bij.'

'Ik hoop het,' zei Joan. 'Ik hoop het echt.'

Met een klap viel de deur achter Tanja dicht. Ze hijgde. Wat bazelde Joan nu? Twijfelde ze aan haar als zus? Waarom? Omdat ze nu even geen zin had in hun gezelschap? Omdat ze anders was dan haar zussen? Of was er meer aan de hand?

Het knaagde aan haar dat Joan en Hanna zo over haar dachten. Oké, ze praatte niet graag over haar gevoelens, maar dat wisten ze al een tijdje en het was nooit een probleem geweest, toch? Joan was juist een flapuit. Die kon als een kip zonder kop doorratelen terwijl niemand luisterde. Was dat niet net zo anders? Hanna was eigenlijk een mix van hen beiden. Wat Joan te veel had, en Tanja te weinig (of andersom) was bij Hanna precies goed. Dat wisten ze toch van elkaar?

Tanja leunde tegen de deur. Ze wilde helemaal geen ruzie met haar zussen. Daarom was ze hen ook achternagegaan daarnet op de trap. Om het uit te praten. Om uit te leggen dat het niet hun schuld was dat ze zo deed. Dat ze gewoon even alleen wilde zijn, omdat er van alles speelde. Dingen waar ze nog niet over wilde praten.

Halverwege de trap had ze het gesprek van haar zussen opgevangen en was blijven staan. De woorden van Joan deden pijn. Hoezo geen zusjes?

Ze was hier zo klaar mee!

Tanja liep naar haar kast en haalde het kistje, dat ze net snel had opgeruimd, weer tevoorschijn. Ze ging op haar bed zitten en opende het deksel. Haar hand streelde een van de roze babyjurkjes. Ze moest nadenken. In gedachten legde ze de babykleertjes naast het kistje en staarde naar de foto van Anneke.

De bekentenis van Thea gisteravond, dat de baby Annekes dochter was, had haar volkomen overrompeld. Duizenden vragen tolden door haar hoofd. Anneke een kind? Waarom wist ze daar niets van? En waar was die dochter dan nu? Leefde ze nog?

Thea, geschrokken, had er verder niet over willen praten. Maar Tanja had net zolang doorgevraagd tot Thea brak. Met tranen in haar ogen had ze verteld over Anneke en haar dochter. Tanja had ademloos geluisterd en kon het woord voor woord terughalen.

'Anneke heeft geen makkelijk leven gehad. Een moeilijke jeugd, waar ik verder niet veel over kan vertellen, omdat ze daar nooit echt over sprak. Wat ik wel weet is dat haar ouders jong zijn gestorven en dat zij en haar broer al heel vroeg op eigen benen moesten staan. Ze woonde al jaren op zichzelf toen ze een relatie kreeg met een Franse jongen, ene Claude Beaumonde, de zoon van een rijke zakenman. Ze trouwden en kregen een dochter met de naam Caroline. In die periode kwam Anneke hier werken, dus helemaal onwaar was mijn uitleg over die datum van 15 april niet. Anneke vond het fijn om hier te zijn. Tussen alle kinderen voelde ze zich gelukkig. Haar huwelijk was geen succes. Ze scheidden en Claude ging terug naar Frankrijk. Anneke kwam met Caroline in het weeshuis wonen. Ze was gek op haar dochter, een lief meisje met prachtige donkere ogen.

In het voorjaar van 1989 kreeg Anneke opeens een

brief van de advocaat van de familie Beaumonde. Ze eisten het meisje op en wilden haar naar Frankrijk laten komen. Anneke was in alle staten, maar tegen zoveel geld en macht kon ze niet op. Ze ging er bijna aan onderdoor. Haar schoonfamilie deed er alles aan om te bewijzen dat Caroline bij hen beter af zou zijn. Caroline had de achternaam van haar vader en bezat ook de Franse nationaliteit. Na een maandenlange rechtszaak werd het meisje permanent toegewezen aan haar vader. Hij had ondertussen een nieuwe vrouw en de rechter vond dat Caroline beter af was in een compleet gezin.

Het ergste was dat Anneke totaal buitenspel werd gezet. Ze kreeg maar een minimaal bezoekrecht, waar de familie zich nooit aan heeft gehouden. Het was verschrikkelijk. Caroline was anderhalf jaar oud en kende alleen haar moeder.

Net in die tijd kwamen jullie. De broer van Anneke werkte als verpleger in het ziekenhuis waar jullie moeder lag. Christa wist dat ze ging sterven en hij heeft geregeld dat jullie na haar overlijden naar het weeshuis konden.

Anneke heeft veel met jullie moeder gepraat in die moeilijke tijd van rechtszaken en strijd. Op de een of andere manier heeft het haar goed gedaan. Zij had verdriet, Christa had verdriet, dat schepte een band. Die foto van jullie op het bed bij je moeder? Die heeft Anneke genomen. Ze had gehoopt dat Caroline nog bij haar zou zijn op het moment dat jullie in het weeshuis kwamen. Jullie waren even oud en hadden leuk met elkaar kunnen optrekken. Maar het heeft niet zo mogen zijn.

Op een zonnige dag in het voorjaar kwamen ze Caroline halen. Ik zie Anneke nog voor me. Huilend. Je dochter afgeven aan een politieagent in de wetenschap dat je haar nooit meer zal zien, is het ergste wat je als moeder kan overkomen. Caroline was te jong om er echt iets van mee te krijgen, maar ik weet zeker dat ze het verdriet van haar moeder moet hebben gevoeld.

Anneke was ontroostbaar natuurlijk, maar er was gelukkig één lichtpuntje in haar leven. Jij! Het was ongelooflijk hoe ze opbloeide als jij in haar buurt was. Eerst maakte ik me wel zorgen. Het leek wel alsof ze in jou haar Caroline zag, maar naarmate de tijd vorderde richtte ze zich weer op alle kinderen en deed ze haar werk weer zoals ze dat altijd had gedaan.

Toch hield jij altijd een speciaal plekje in haar hart, Tanja. En misschien heeft het wel zo moeten zijn dat jij niet geadopteerd werd en je zusjes Joan en Hanna wel. Alhoewel Anneke wel een vinger in de pap had en geen enkel ouderpaar goed genoeg voor jou vond. Jij en Anneke... nou ja, jullie hoorden gewoon bij elkaar. Ik ben blij dat jullie echt afscheid hebben kunnen nemen.'

Tanja staarde naar de foto. Nu ze wist dat Anneke haar echte moeder had gekend, voelde het nog vertrouwder. Christa had haar toevertrouwd aan Anneke en ze had een goede keuze gemaakt. Anneke was inderdaad als een moeder voor haar geweest. Alsof het zo moest zijn. Zij verloor haar moeder en kreeg Anneke. Anneke verloor haar dochter en kreeg haar.

'15 april 1988,' mompelde ze. Caroline was drie weken eerder geboren dan zij. Ze waren praktisch even oud. Caroline was anderhalf jaar geweest toen ze door haar vader werd opgeëist. Waarom was er geen foto van háár op die leeftijd?

Tanja pakte haar eigen babyfoto op en hield die naast de foto van Anneke en Caroline. Er zat een jaar tussen, maar de gelijkenis was frappant. Caroline had net als zij donker haar en bruine ogen. Als de datum er niet op had gestaan, had ze gedacht dat zíj het was op Annekes arm. De gedachte maakte haar onrustig. Ze draaide haar eigen babyfoto om en keek naar de groene letters die haar naam vormden.

Haar handen lieten de foto van Anneke los en gristen de babyfoto's van Joan en Hanna uit de kist. Blauwe letters, en een heel ander handschrift. Ze staarde voor zich uit.

Een vreselijke gedachte kwam bij haar op.

'Nee,' fluisterde ze.

Haar ogen schoten van foto naar foto. Kon het waar zijn? Ze voelde haar hart bonzen. Alles klopte.

Ze liet de foto's los en balde haar vuisten. 'Ik word gek,' mompelde ze. Ze sloeg met haar knokkels tegen haar voorhoofd. 'Nee, nee, nee!'

7

Geduld en vertrouwen

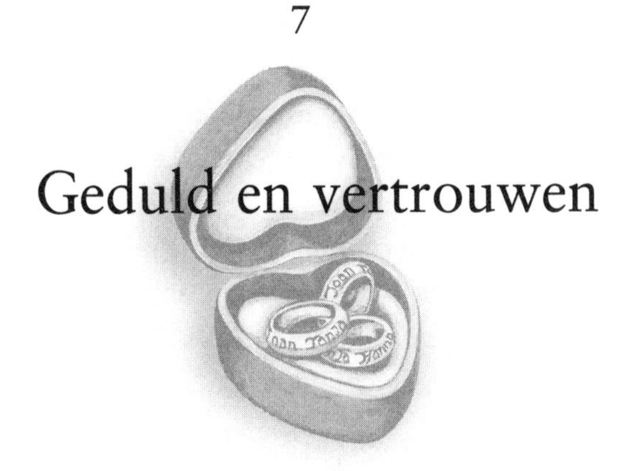

'Ze blijft liever op haar kamer.' Parrot keek teleurgesteld. Hij kwam de trap af gelopen met een dienblad in zijn handen. 'Maar de salade was lekker.'

'Ja, sorry hoor,' zei Joan die onder aan de trap stond. 'Maar ik vind dit NIET NORMAAL!' De laatste twee woorden schreeuwde ze naar boven. 'Het is zondagmiddag. Het weekend is bijna voorbij. Hoelang duurt dit kluizenaarsgedoe nog?'

Parrot liep de keuken in. 'Geef haar wat tijd.'

'O, nou... fijn!' Joan volgde haar vader. 'De catering wordt door mevrouw wel gewaardeerd.'

Hanna zat aan de keukentafel te lezen en keek op.

'Ik heb hier geen zin meer in,' ging Joan verder. 'Ons hele weekend is verpest, omdat madam ons zo nodig wil straffen voor onze afwezigheid vrijdag.'

'Dat is niet waar.' Tanja's stem klonk luid en duidelijk.

Drie hoofden keken verbaasd om.

'Waarom zou ik jullie willen straffen?' Tanja liep de

keuken in en zette een leeg theeglas op het aanrecht. 'Dat jij dat denkt zegt meer iets over jou dan over mij, vind je niet, Joan?'

'Wat jij wilt,' bromde Joan.

'Juist! Wat ik wil.' Tanja ontspande. 'Luister, ik wil gewoon even rust. Er is te veel gebeurd en ik moet nadenken.'

'Waarover? Of je nog met ons wilt praten?'

'Joan!' Parrot gaf Joan een boze blik.

Hanna klapte haar boek dicht. 'We bedoelen het goed. We vinden het superrot voor je. Als we wat kunnen doen?'

Tanja glimlachte. 'Dank je, maar dat is niet nodig.' Ze keek naar Joan. 'En het spijt me dat ik jullie weekend heb verpest, maar ik kan niet anders. Jullie hoeven echt niet hier beneden op mij te zitten wachten.'

Joan haalde diep adem. 'Dat had je dan wel iets eerder kunnen zeggen.'

'Dat heb ik gedaan, maar jullie luisterden niet.' Tanja beet op haar lip. 'Zoals wel vaker.'

'Dus nu is het onze schuld?'

'Meiden, stoppen nu!' Parrots stem trilde. 'Zo komen we er niet uit.' Hij keek naar Tanja. 'Morgen vliegen we terug. Ik kan mijn afspraken niet langer verzetten en morgenavond zit ik met Ann in die talkshow, weet je nog?'

Tanja knikte. 'Ja, is goed. Ga jij maar. Zeg maar tegen Mike dat ik nog even blijf.'

Parrot fronste zijn wenkbrauwen.

'Ik moet nog wat dingen regelen hier,' legde Tanja uit.

'Erfenis?' Joan klonk een stuk rustiger. 'Als je hulp nodig hebt, mijn vader kent bijna alle notarissen. Hij kan ervoor zorgen dat het sneller gaat.'

'Dank je, maar dat is niet nodig. Dit is meer iets wat ik privé moet uitzoeken.'

'O?' Hanna keek nieuwsgierig. 'Kunnen we misschien helpen?'

Tanja schudde haar hoofd. 'Nee, dit moet ik alleen doen.'

'Hoeveel tijd heb je nodig, denk je?' vroeg Parrot.

'Geen idee.' Tanja haalde haar schouders op. 'Een paar dagen, een week misschien.' Ze keek naar haar zussen. 'Als ik hier nog mag blijven, zou ik dat heel fijn vinden.'

'Tuurlijk.' Hanna keek verrast. 'Leuk juist, toch Joan? Misschien kunnen we dan...'

Tanja liet haar niet uitspreken. 'Ik ga even naar buiten. Beetje frisse lucht snuiven.'

'Zullen we mee...' Hanna zweeg. 'Oké, is goed. Tot zo!'

Even later viel de deur achter Tanja dicht.

'Wat zijn we hier nu mee opgeschoten?' Joan ging zitten. 'Parrot gaat morgen naar huis en Tanja blijft hier nog een tijdje sikkeneurig doen.'

'Ze moet dingen uitzoeken,' zei Parrot. 'Privédingen.'

'Beetje vaag, vind je niet?'

'Het komt wel goed.' Parrot pakte zijn telefoon. 'Ik bel Mike even en daarna Ann.' Hij liep de keuken uit.

'Ik dacht dat we alles samen deelden,' verzuchtte Joan. 'Ze sluit ons buiten.'

Hanna dacht na. 'Het heeft vast iets te maken met dat kistje.'

'Ik heb geen zin om hotelletje te spelen als ze zich niet voor ons openstelt.'

'Wat zou erin zitten?'

'Huh?' Het drong nu pas tot Joan door dat Hanna het over heel iets anders had. 'Wat?'

'Dat kistje,' herhaalde Hanna. 'Ze heeft een kistje uit het weeshuis meegenomen.'

'En?'

'Ze verbergt iets en ik denk dat het te maken heeft met wat er in dat kistje zit.'

Er viel een stilte. Joan en Hanna keken elkaar veelbetekenend aan.

'Waar wacht je nog op?' vroeg Joan.

Hanna twijfelde. 'Ik weet niet of...'

'Tuurlijk wel. We moeten het weten. Als het niets met ons te maken heeft, laten we het rusten. Anders...' Ze tuitte haar lippen. 'Dat zien we dan wel weer.'

'Snuffelen in iemands spullen is niet netjes.'

'Je zussen buitensluiten ook niet,' zei Joan. 'We moeten dit doen. Voor ons... voor Tanja.'

'Je hebt gelijk.' Hanna stond op en keek naar het sleutelrekje dat bij de deur hing. 'Oké, steek je sleutel in het slot van de voordeur.'

'Waarom?'

'Om het slot te blokkeren als Tanja haar sleutel erin wil steken, suffie. Zodat ze aan moet bellen als ze onverwacht terugkomt.'

Joan grijnsde. 'Slim! Ik wist niet dat je inbreektalenten had.'

'Ik ook niet. Vlug, sleutel!'

Joan griste haar sleutel van het rek en stak die in het slot van de voordeur. Samen slopen ze de trap op. Parrot was zo te horen druk aan het bellen in de huiskamer. De deur van Tanja's kamer stond op een kier. Hanna stapte naar binnen en Joan volgde haar. Ze liet de deur openstaan.

'Ik zie geen kistje,' fluisterde Joan.

Hanna liep naar de kledingkast. 'Zoeken,' siste ze. 'Ze moet het ergens verstopt hebben.'

Terwijl Joan Tanja's weekendtas doorzocht, opende Hanna de kledingkast. Het was meteen duidelijk dat het kistje daar niet lag. Tanja had maar een paar kledingstukken meegenomen. De kast was bijna leeg.

'Niets,' zei Joan.

Hanna keek de kamer rond. 'Wacht eens.' Ze liep naar het bed en bukte. 'Ik zie iets.' Even later trok ze een houten kistje tevoorschijn.

'Zit het op slot?' Joan keek nieuwsgierig.

Hanna klikte het metalen slot omhoog en tilde het deksel op. Ze staarden naar de inhoud.

'Aaah, kijk nou. Babykleertjes.' Hanna tilde een roze jurkje op. 'Heeft Tanja dat gedragen?'

Joan was op haar knieën gaan zitten en haalde ook de andere kleertjes eruit. 'Ik denk wij drieën.' Ze hield nog een roze jurkje omhoog.

Hanna had ondertussen de sokjes tevoorschijn gehaald. 'Wat klein!' Ze keek vertederd. 'Schattig.'

Joan legde het jurkje opzij en pakte een foto uit het kistje. Heel even staarde ze naar de baby en draaide toen de foto om. 'Dit ben jij,' fluisterde ze. 'Hanna Couperus staat er.'

Hanna griste de foto uit haar handen. 'Echt?'

Terwijl Hanna bewonderende kreten slaakte, pakte Joan een andere babyfoto uit het kistje. 'En dit ben ik.'

Samen keken ze naar hun jongere uitvoering.

'Wat leuk is dit,' zei Hanna.

'Ja, maar ik snap niet waarom Tanja dit voor ons verborgen houdt.'

Hanna pakte de derde babyfoto op. 'Dan moet dit Tanja zijn.' Ze draaide de foto om en knikte. 'Yep! Tanja Couperus.'

'Die foto ziet er wel anders uit,' zei Joan. 'Niet alleen de foto zelf, maar Tanja draagt hier ook iets heel anders dan wij.'

Hanna had de foto op de grond gelegd en keek naar de laatste foto die nog in het kistje lag. 'Wie is dit?'

Ze tilde de foto op.

'Geen idee,' zei Joan die nog steeds onderzoekend de drie babyfoto's bekeek. 'Christa?'

Hanna schudde haar hoofd. Nee, zeker niet.'

Joan boog zich over de foto. 'Die baby lijkt op Tanja, zie je?'

Hanna draaide de foto om maar er stond geen naam, alleen een datum. 'Vreemd.'

'Wacht eens.' Joan pakte de foto over en tuurde naar het gezicht van de vrouw. 'Dat lijkt Anneke wel. Ja... het is Anneke. Kijk maar naar die ogen en die neus.'

Hanna boog voorover. 'Je hebt gelijk. Wat leuk. Een foto van Tanja met Anneke.'

Joan schudde haar hoofd. 'Nee, niet Tanja. Die datum klopt niet.' Ze wees naar de cijfers achter op de foto. '15 april 1988... Toen waren wij nog niet geboren.'

'Hm.' Hanna knikte. 'Vreemd. Wie is dat dan?'

'Waarschijnlijk een van de kinderen uit het weeshuis.'

'Maar die baby lijkt op Tanja.'

'Ja, maar alle baby's lijken op elkaar, toch?'

'Dat is waar.' Hanna legde de foto's terug in het kistje. 'Maar waarom zit-ie dan in het kistje dat Tanja mee heeft gekregen?'

'Geen idee. Wat míj interesseert is waarom Tanja dit niet met ons deelt. Het zijn ook onze kleertjes en foto's.'

Ze keken elkaar aan.

'Zie je wel dat ze iets verbergt?' ging Joan verder. 'Er is vast meer aan de hand!'

Hanna vouwde de kleertjes op en legde ze in dezelfde volgorde terug in het kistje. 'Voorlopig zeggen we even niets. Tanja heeft vast een goede reden om ons hier buiten te houden.' Ze sloot het kistje en schoof het terug onder het bed.

'Maar...'

'Nee, Joan! We houden onze mond.' Hanna klonk stellig. 'Ook tegen Parrot. Hoe denk je dat ze reageert als ze ontdekt dat wij dit gezien hebben? Je weet hoe Tanja is. Achter haar rug om in haar spullen snuffelen, daar is ze echt niet blij mee. Ik denk dat ze ons dan helemaal nooit meer iets vertelt.'

Joans gezicht stond teleurgesteld, maar ze knikte. 'Oké, maar ik geef haar niet langer dan één dag. Tot morgenavond.'

'*Fair enough*,' zei Hanna. 'Kom, we gaan naar beneden.'

Tanja liep doelloos de Herengracht af in de richting van de Leidsestraat. De smalle stoep was hier en daar opengebroken, zodat ze regelmatig tussen de paaltjes door de weg op moest. Het was stil in de stad deze zondagmiddag. De nevel bleef tussen de herenhuizen hangen en maakte dat haar huid na een tijdje klam aanvoelde. Ze moest iets doen, maar wat? Thea kon haar niet verder helpen. Tanja had haar net nog gebeld, maar Thea had werkelijk geen idee of haar vermoeden klopte. 'De enige die je daar iets over had kunnen vertellen was Anneke zelf,' had ze gezegd.

Tanja huiverde. De twijfel vrat aan haar. Misschien was het wel onzin wat er door haar hoofd spookte, maar ze wilde het zeker weten. Wie kon haar helpen? Kon ze dit wel in haar eentje oplossen?

Heel even speelde ze met de gedachte om haar zussen of Parrot in vertrouwen te nemen. Maar wat nou als het haar zussen niet waren? Als Parrot haar vader helemaal niet was? Stel dat ze inderdaad de dochter van Anneke bleek te zijn, omdat Anneke de echte Tanja had meegegeven aan die Franse Claude Beaumonde, als zijn dochter Caroline? Wilde ze dat dan wel delen met Joan, Hanna, Parrot en Mike? Onmogelijk! Dan was ze in één klap haar familie kwijt. Ze twijfelden nu al aan haar. Ze had er nooit zo'n aandacht aan geschonken, maar met wat ze nu wist waren al die grappig bedoelde opmerkingen opeens helemaal zo leuk niet meer.

Ze stapte de weg op omdat er een vrachtwagen half op de stoep stond en hoorde een schreeuw achter zich.

'Hola, kijk je een beetje uit, dame?' Een fietser laveerde behendig om haar heen.

'Sorry!' riep ze nog, maar de man was de zijstraat al in gefietst.

Ze stak de brug over en liep aan de andere kant van de gracht terug. Een taxi stopte voor de ingang van de sauna en er stapte een echtpaar uit. Tanja liet hen voor haar naar binnen gaan en vervolgde haar weg. Proeflokaal De Admiraal was, zoals altijd, gesloten op zondag. De glazen deuren weerspiegelden haar gestalte.

Ze sloeg linksaf en bleef midden op de brug staan. Een rondvaartboot kwam onder de brug vandaan. Een paar toeristen maakten foto's door het open dakraam. Over de leuning gebogen staarde ze naar het groene kolkende grachtenwater dat achter de rondvaartboot omhoog spatte. Het was zoals ze zich voelde. Kolkend, borrelend... alsof ze nooit meer kalm zou worden.

Zou het kunnen? Was zij Caroline? Ze rilde. Het was absurd, maar het kon. Alles klopte.

Het begon te miezeren en Tanja liep de brug af. Ze zou de komende dagen gebruiken om informatie te verzamelen over de familie Beaumonde. Als de opa van Caroline inderdaad een rijke zakenman was, dan kon ze misschien zijn bedrijf vinden. Van daaruit kon ze dan verder. Ze was blij dat ze haar laptop had meegenomen. Morgen gingen Joan en Hanna gewoon naar school en had ze het huis voor zich alleen.

Ze haalde de sleutel uit haar zak en stak die in het slot. De sleutel bleef halverwege steken. Ze morrelde wat, maar hij ging niet verder. Net toen ze haar hand naar de bel uitstak, hoorde ze het slot bewegen en ging de deur open.

'Hi, sorry.' Joan hield haar sleutel omhoog. 'Hij zat nog in de deur.'

Tanja fronste haar wenkbrauwen. 'O?'

'Ja, ik... ik ben net even buiten geweest. Kom binnen. Thee?' Joan deed een stap opzij en liet Tanja binnenkomen.

'Eh... ja, lekker.'
'Kom je dan even bij ons in de kamer zitten?'
Tanja aarzelde.
'Eventjes? Parrot gaat morgen weg. Het is onze laatste avond met zijn viertjes.'
'Oké.' Tanja wist dat ze nu geduldig moest zijn. Morgen had ze de hele dag de tijd om uit te zoeken wat ze wilde weten.

8

Een smoes

Hanna zette haar fiets op slot en liep in de richting van het schoolgebouw. In haar jaszak klonk voor de derde keer een piepje en ze glimlachte. Marc hield wel vol. Ze haalde haar mobiel uit haar jaszak en ontgrendelde het scherm. Hij was vroeg vandaag. Een voor een opende ze de berichten. De woorden op het scherm maakten haar blij.

Marc
GOEDEMORGEN, LIEFIE

Marc
HOE WAS JE WEEKEND? JE HEBT MIJ TOCH WEL GEMIST?

Marc
BEL ME? xxx

Hanna glimlachte en belde. Ze liep naar een van de banken die op het schoolplein stonden en ging zitten. 'Jij ook goedemorgen,' zei ze toen er werd opgenomen. 'En ja, ik heb je gemist.' Ze glimlachte.

'Waar ben je nu?' Marcs stem klonk slaperig.

'Wat denk je?' Hanna keek op haar horloge. 'Over twee minuten gaat de bel en moet ik in het wiskundelokaal zijn.'

'O ja.' Marc gaapte hoorbaar. 'Het is maandag.'

Hanna had allang door dat Marc nog in bed lag. 'Moet jij niet naar college?'

'Nee... morgen. Vandaag kan ik de hele dag aan jou denken.'

'Bofkont.' Ze zag de conciërge bij de deur staan. Hij maande de laatste leerlingen naar binnen en keek haar kant op. 'Ik moet gaan. Kus.'

'Wacht, wacht... nog wat gehoord van Tanja?'

'Nee, we hebben haar gisteravond met rust gelaten. Ze was er wel bij, maar toch ook weer niet. '

'En vanochtend?'

'Vanochtend sliep ze nog toen Joan en ik naar school gingen. Maar we gaan vanavond met haar praten.'

De eerste bel klonk en de conciërge wuifde naar haar.

'Dus nu is ze thuis met Parrot?'

'Ja... eh, nee. Parrot ging vanochtend vroeg terug naar Londen.'

'Dus ze is alleen thuis?'

'Ja.' De woorden van Marc drongen langzaam tot haar door.

'Hanna?'

'Eh... ja, ik ben er nog.' Ze stond op. 'Ik bel je, goed?

Ik ga nu terug naar huis.' Nog voordat Marc iets kon zeggen, had ze de verbinding verbroken en liep ze naar de deur.

De tweede bel klonk en de conciërge hield de deur voor haar open.

'Ik moet naar huis,' zei ze. 'Ik...' Ze dacht na. 'Ik ben ongesteld geworden en... nou ja, u begrijpt het wel, toch?' Ze gebaarde naar haar kleren en keek de man daarna smekend aan. 'Ik moet me omkleden.'

De conciërge voelde zich duidelijk ongemakkelijk met de situatie en knikte. 'Ja, ja, dat is goed. Ik zal doorgeven dat je later komt.'

Hanna knikte. 'Bedankt.' Ze draaide zich om en liep terug naar haar fiets. Dat ze daar zo makkelijk overheen gestapt waren. Parrot ging naar huis. Tanja zou de rest van de dag alleen zijn. Hoe laat werd Parrot eigenlijk opgehaald?

Terwijl ze het schoolplein af fietste, belde ze Parrot. Hij nam niet op. 'Shit!' Nerveus toetste ze Joans nummer in. Ook daar kreeg ze geen gehoor. Die zat natuurlijk allang in de les. Ze sprak een boodschap in. 'Joan, ik ga terug naar huis. Parrot is weg en Tanja zit alleen.' Ze laveerde over de tramrails.

Moest ze Tanja bellen? Ze twijfelde. Tanja zat niet te wachten op een oppas. Ze zou het vreselijk vinden als ze wist dat Hanna spijbelde omdat ze zich zorgen over haar maakte. Wat moest ze tegen Tanja zeggen? Ze moest vooral niet laten blijken dat ze voor haar naar huis was gekomen. Even later fietste Hanna de Herengracht op en stopte op de stoep voor hun huis.

'Joehoe, Tan? Ik ben het, Hanna.' Ze duwde de voordeur verder open en stapte naar binnen. 'Tanja?' Hanna zette haar tas onder de kapstok en trok haar jas uit.

Tanja kwam de gang in gelopen. 'Wat doe jij nou hier?'

'Buikpijn. Tampons vergeten.' Ze probeerde zo rustig mogelijk te praten, maar haar ademhaling klonk gejaagd door het harde fietsen.

'Je hijgt helemaal.'

'Ja, balen dat het net nu begint. Ik was al op school.'

Tanja bleef in de deuropening staan en blokkeerde zo het zicht op de huiskamertafel. 'Ja.'

Hanna sloeg haar ogen neer. De onderzoekende blik van Tanja maakte haar nerveus.

'Had je niets bij je dan?'

'Nee, stom hè?'

'Ja, nogal. Zoiets weet je toch?'

Hanna haalde haar schouders op. 'Het was ook zo'n raar weekend. Helemaal niet aan gedacht. Enne, ik dacht dat je misschien wel wat gezelschap kon gebruiken.'

Tanja reageerde niet echt.

'Ik bedoel, Parrot is weg en dan zijn wij ook nog naar school.'

'Ik vind het niet erg om alleen te zijn,' zei Tanja. 'Wel fijn juist.'

'O.' Hanna aarzelde. Ze wist even niet meer wat ze moest zeggen. Het was overduidelijk dat Tanja niet op haar zat te wachten.

'Ga dan,' zei Tanja.

'Wat?' Hanna volgde haar blik naar de trap. 'O... ja.' Ze draaide zich om en liep de trap op. 'Ben zo terug.'

Ze liep de badkamer in en rommelde wat in haar toiletkast. Daarna liep ze naar haar kamer en trok een andere broek aan. Het voelde als liegen, maar ze kon nu niet meer terug.

'Wat een gedoe, hè?' Hanna kwam de huiskamer in gelopen. Tanja zat aan de tafel achter haar laptop.

'Wat ben je aan het doen?' Hanna liep naar haar zus toe.

'O, niets. Wat mailtjes van Mike.' Tanja klapte haar laptop dicht. 'Wanneer moet je weg?'

Hanna haalde haar schouders op. 'O, ik hoef me niet te haasten. Het eerste uur is nu toch al verloren.' Ze wees naar het dienblad naast Tanja waarop een theepot en wat glazen stonden. 'Zit er nog wat in?'

Tanja knikte. 'Ga je gang.'

Hanna schonk zichzelf in en ging naast Tanja zitten. 'Ga je nog naar het weeshuis toe?'

'Hoezo?'

'Zomaar. Je zei dat je dingen wilde uitzoeken.' Hanna glimlachte.

'Ja.' Tanja sloeg haar armen over elkaar.

'Als ik kan helpen?'

'Nee, dank je. Dit moet... dit wil ik alleen doen.'

'Heeft het met vroeger te maken?' Hanna wist dat ze nu heel erg aandrong.

'Zoiets ja.' Tanja haalde diep adem. 'Luister. Ik vind het niet erg om alleen te zijn, Hanna. Ik wil gewoon dingen op een rijtje zetten.'

'Maar we kunnen toch...'

'Nee, dat kan niet!' Tanja's stem klonk vastbesloten. 'En hou op met die smoesjes, want dat werkt niet bij mij.'

'Smoesjes?'

Tanja grijnsde. 'Je bent helemaal niet ongesteld geworden. Dat was je van de week al.'

Hanna sloeg haar ogen neer. 'Ik...'

'Laat maar. Ik weet dat je het voor mij doet, maar je hoeft je geen zorgen te maken. Ga jij nou maar gewoon naar school. We zien elkaar vanmiddag, oké?'

Hanna blies wat stoom boven haar theeglas weg. 'Zeker weten?'

'Zeker weten.'

Op dat moment hoorden ze de voordeur opengaan.

'Tanja?' Het was de stem van Joan. 'Ha, daar ben je.' Joan kwam met jas en al de kamer in en keek verbaasd naar Hanna. 'Wat doe jij nou hier?'

'Ja, stop maar,' riep Tanja. 'Laat me raden. Ook ongesteld geworden zeker?'

Joan keek naar Hanna. 'Eh... ja. Hoezo? Jij ook?'

Hanna glimlachte, maar zei niets.

'Wat toevallig,' ging Joan verder. 'Maar wel gezellig. Schenk voor mij ook maar een thee in; ik ga even naar boven.'

Terwijl Tanja een glas vol schonk, hoorden ze boven het toiletkastje rammelen. 'Lekker stel zijn jullie.'

'We maken ons zorgen,' mompelde Hanna. 'Je zit ergens mee en je deelt het niet met ons.'

'Moet dat dan?'

'We zijn je zussen, Tan!'

'Is dat zo?' Tanja's gezicht stond grimmig.

'Wat is dat nou voor een vraag?' Hanna's stem klonk verontwaardigd. 'We hebben elkaar iets beloofd. Geen geheimen, alles delen!'

Tanja zweeg.

'Zo, daar ben ik weer. Gezellig!' Joan ging tegenover haar zussen zitten en keek van de een naar de ander. 'Is er iets?'

Tanja veerde op. 'Welnee, *join the club*.' Ze pakte haar laptop op. 'Ik ga naar mijn kamer.'

'Nee!' Hanna sloeg met haar hand op tafel. 'Je blijft hier.'

Ze stond op.

'Je gaat zitten en je vertelt ons precies wat er aan de hand is.'

'Ik dacht het niet.'

'Doe niet zo eigenwijs!' Hanna's stem sloeg over en ze wendde zich tot Joan, die met open mond naar haar geschreeuw zat te luisteren. 'Zeg dan wat!'

Joan knikte. 'Eh, ja... Hanna heeft gelijk!'

Hanna balde haar vuisten. 'Dit gaat ons ook aan.'

'Helemaal niet!' Tanja schreeuwde nu ook. 'Waar bemoeien jullie je mee?'

'Met jou! Begrijp je dat dan niet?'

'Nee, jíj begrijpt het niet,' riep Tanja. 'We moeten helemaal níéts samen. Niet zolang ik dingen niet zeker weet.'

'Welke dingen?'

Tanja zweeg.

'Zeg dan?' Hanna drong aan. 'Wat moet je zeker weten?'

'Zeg het, Tanja,' zei Joan die nu ook was gaan staan. 'Je kunt ons vertrouwen. Dat weet je toch? Wij zijn je zussen!'

'Nee, nee, dat zijn jullie misschien niet.' Tanja's stem trilde. 'Dat is het 'm juist.' Ze liet zich op haar stoel vallen. 'Ik weet helemaal niets meer zeker.'

Hanna staarde naar de tranen die over Tanja's wangen rolden en ze schrok. 'Niet huilen,' stamelde ze, terwijl ze naast Tanja ging zitten en een arm om haar heen sloeg. 'Sorry, ik wilde niet...'

'Wat bedoel je, Tanja?' Joan was om de tafel heen gelopen en viel Hanna in de rede. 'Zeg je nou dat wij geen zussen zijn?' Ze ging naast Tanja zitten.

Tanja schokschouderde. 'Ik weet het niet, Joan. Echt, ik weet het even niet meer.'

'Heeft het te maken met dat kistje?' vroeg Joan.

Hanna wierp haar zus een waarschuwende blik toe, maar Joan knikte haar geruststellend toe. 'We zagen dat je een kistje mee had gekregen. Wat zat er in?'

Tanja veegde haar gezicht droog met de mouw van haar shirt. 'Ik wil niet... ik weet niet of ik...' Ze keek haar zussen een voor een aan. 'Als het waar is.'

'Wat?' Hanna voelde dat ze ongeduldig werd.

'Wacht.' Tanja stond op en liep de kamer uit.

'Wat deed je nou?' siste Hanna. 'Je had ons bijna verraden.'

'Rustig maar,' antwoordde Joan. 'Het ging toch goed? Ik denk dat ze dat kistje gaat halen.'

Ze wachtten gespannen af. Even later kwam Tanja de kamer weer in. 'Kijk zelf maar.' Ze zette het kistje op tafel en opende het deksel.

Joan en Hanna keken met een nieuwsgierig gezicht naar de inhoud.

'Ooo, babykleertjes,' riep Joan. 'Van jou?'

'Van ons,' zei Tanja. Ze legde de kleertjes op tafel.

'Kijk nou, wat schattig,' riep Joan.

Hanna verbaasde zich over het acteertalent van haar

zus. Brent had gelijk. Joan was een geboren toneelspeelster.

'Kijk dan, Hanna. Is het niet enig?' Joan hield een roze jurkje omhoog.

'Wat leuk.' Hanna wist dat het er wat lijzig uitkwam, maar meer enthousiasme kon ze op dit moment niet opbrengen. Waar leidde dit heen?

Tanja pakte de foto's uit het kistje en legde ze een voor een op tafel. Joan ging helemaal op in haar rol en gilde het uit bij het zien van de babyfoto's.

'Dat ziet er toch niet uit? Moet je die strikjes zien!' Ze wees naar de babyfoto van Tanja. 'Kijk nou, zelfs toen droeg je al stoere kleren.' Ze lachte. 'Terwijl Hanna en ik er als zuurstokken bij liggen.'

'Hé, dat zijn wij met Christa.' Joan boog voorover. 'En een verpleger zo te zien.'

'Dat is de broer van Anneke,' zei Tanja.

'Echt?' Nu was Joan oprecht verbaasd. 'Werkte hij daar?'

'Ja, hij heeft ook geregeld dat wij naar het weeshuis van zijn zus gingen.'

'O, dat is ook toevallig.'

'Ja, dat dacht ik ook.' Tanja legde de laatste foto neer.

'Wie is dat?' vroeg Hanna.

'Dat is Anneke met haar eigen kind.' Tanja's stem klonk zacht, alsof ze bang was de woorden uit te spreken.

'Haar eigen...?' Joan viel stil.

'Anneke had een broer en een kind?' vroeg Hanna.

Tanja knikte. 'Ja, een dochter. Caroline.'

'Hoe weet je dat?'

'Heeft Thea verteld.' Tanja draaide de foto om. 'Ze is geboren op 15 april 1988.'

'Geinig, dan is ze bijna even oud als wij,' zei Joan die weer iets van haar vrolijkheid terug had. 'Heb je haar gesproken? Was ze op de begrafenis?'

Tanja schudde haar hoofd en ging zitten. Ze schoof haar eigen babyfoto naast die van Anneke met haar dochter. 'Anneke scheidde vlak na haar geboorte van de vader en is toen met haar dochter in het weeshuis komen wonen. De vader woonde in Frankrijk en heeft ruim een jaar niet naar zijn dochter omgekeken. Thea zei dat onze komst haar opvrolijkte, omdat we net zo oud waren als Caroline. We hebben nog met elkaar gespeeld.'

'Maar... waar is die Caroline nu dan?'

'Ze is vlak na onze komst door haar vader weggehaald.'

'Weggehaald?' Hanna keek vragend.

'Ja, met een dwangbevel,' legde Tanja uit. 'Na een maandenlange rechtszaak moest Anneke haar dochter afstaan aan de vader. Hij heeft haar meegenomen naar Frankrijk en ze heeft Caroline daarna nooit meer gezien.'

'Wat erg!' Joan keek verontwaardigd. 'Wie doet dat zijn kind nou aan? Wat zielig voor Anneke. Waarom wisten wij dat niet?'

Hanna legde een hand op Tanja's arm. 'En wat heeft dat met ons te maken?'

Tanja wees naar haar babyfoto. 'Thea zegt dat Caroline en ik erg op elkaar leken.'

Joan boog zich over de foto's. 'Ja, dat is waar. Grappig.' Ze lachte. 'Jij hebt ook als enige van ons drieën donker haar.'

Tanja praatte verder. 'En dat Anneke zich erg op mij richtte nadat haar dochter was meegegeven aan die ex.'

Joan wuifde met haar hand. 'Logisch, ze was haar kind kwijt.'

'Dat ze mij constant bij zich wilde hebben.'

'Ook te begrijpen, toch?' zei Joan. 'Ze miste haar dochter en projecteerde dat op jou. Je was toch ook altijd haar oogappeltje? Ze heeft jou tot je zestiende bij zich gehad.'

Tanja schudde haar hoofd. 'Je snapt het niet. Waarom ik? Waarom ben ik nooit geadopteerd?'

'Dat weet je toch? Jij was nu eenmaal, hoe zal ik het zeggen.' Joan aarzelde. 'Nou ja, je was wat afstandelijk ten opzichte van vreemden. Dat zei Anneke toch zelf?'

'Hoor je wel wat je zegt? *Dat zei Anneke zelf*. Ik schrikte ouderparen af, zei Anneke. Ik was te stoer en te afstandelijk.'

'Ja, precies!'

Tanja schudde haar hoofd. 'Maar Thea vertelde mij dat juist Ánneke niemand goed genoeg vond voor mij en dat het daarom nooit doorging. Ze zei het wel niet met zoveel woorden, maar het was duidelijk genoeg. Anneke hield de adoptie steeds tegen.'

'Waarom zou Anneke dat doen?'

Tanja pakte haar babyfoto op. 'Thea zei dat Anneke en ik...' Ze slikte. 'Dat ze als een moeder voor me was. En weet je... zo voelde het ook altijd. Zelfs in het ziekenhuis was onze band zó sterk. Ik heb al die jaren gedacht dat we zo naar elkaar toegegroeid waren doordat ik zestien jaar in het weeshuis heb gewoond.'

'Dat is toch ook zo?'

Tanja haalde diep adem en wees op haar foto. 'Wat

nou als die band er al vanaf het begin was? Caroline is weggehaald toen wij daar net waren. We waren even oud, niemand kende ons nog, we hadden geen familie. Bedenk hoe het gegaan kan zijn: Anneke zat midden in een vreselijke rechtszaak met die ex van haar over de voogdij van Caroline toen haar broer haar in contact bracht met Christa, die drie even oude dochters had. Een daarvan leek ontzettend veel op haar eigen dochter. Wij gingen naar het weeshuis en vlak daarna moest Anneke haar dochter afstaan.'

Tanja pakte de babyfoto's van Joan en Hanna erbij. 'Kijk dan naar jullie foto's. Totaal anders dan die van mij. Het handschrift achterop, de kleur van de pen, mijn kleding, zelfs het fotopapier is anders. Alsof...' Ze slikte en staarde voor zich uit.

Hanna voelde een steek in haar buik. Langzaam drong tot haar door wat Tanja hun probeerde te vertellen. Er viel een stilte.

'Shit,' mompelde Hanna en ze keek verschrikt naar Tanja. 'Hij had zijn dochter ruim een jaar niet gezien. Hij wist niet hoe Caroline eruitzag. Jij leek op haar. Ze heeft de babyfoto van Tanja meegegeven aan haar ex en de foto van Caroline in onze doos gedaan. Alleen zíj wist wie wie was.'

Hanna keek naar de foto's en kromp in elkaar. 'Jij denkt dat ze Tanja heeft weggegeven aan haar ex.'

Joan trok een gek gezicht. 'Huh? Hoe kan ze Tanja hebben weggegeven? Die zit hier toch?'

Hanna beet op haar lip. 'Tanja denkt dat ze Caroline is. De dochter van Anneke.'

9

Samen

Hanna zat achter de laptop en opende internet. 'Hoe heette die vader?'

'Beaumonde,' fluisterde Tanja. 'Claude Beaumonde.' Ze leunde tegen Hanna aan en keek mee op het scherm.

'Dit is met recht zoeken naar een speld in een hooiberg, maar we moeten ergens beginnen.' Hanna's vingers typten de Franse naam Beaumonde in en er verschenen drieënhalf miljoen hits. Een diepe zucht ontsnapte haar.

'Caroline,' zei Tanja. 'Met i-n-e op het eind. Caroline Beaumonde.'

Hanna typte de voornaam erbij en drukte op enter. 'Hm, tweehonderd eenenzestigduizend hits,' zei ze. 'Dat scheelt enorm.'

Tanja wist niet of ze nu moest huilen of lachen. Ze was blij dat Joan en Hanna zich vandaag ziek gemeld hadden op school om bij haar te kunnen blijven. Het was een opluchting dat ze nu alles verteld had. De angst dat haar zussen haar in de steek zouden laten als ze wisten wat er aan de hand was, had haar de afgelopen dagen verlamd. Het had haar afstandelijk gemaakt, alsof ze de klap voor wilde zijn door zelf afstand te nemen. Maar haar angst was onterecht geweest.

'Zelfs als blijkt dat je Caroline bent, blijf je onze zus,' had Hanna gezegd.

'MZZLmeiden tot het eind!' had Joan geroepen. 'Ik hou van je zoals je bent, zussie, en dat zal altijd zo blijven.'

Tanja beet op haar nagel. Ze was blij met hun steun, maar dat loste het probleem nog niet op.

Joan, die aan de andere kant van Hanna zat, gaf haar een knipoog. 'We gaan dit samen tot op de bodem uitzoeken.'

Tanja zweeg. Haar plan om Caroline op te sporen voelde vanochtend nog zo goed. Maar nu twijfelde ze. Wílde ze het wel weten? Was het niet makkelijker om gewoon door te gaan met haar vertrouwde leventje en het kistje te vernietigen? Wat schoot ze ermee op? Wat schoot Caroline ermee op? Als het waar was, maakte dat hun levens tot één grote leugen. Ze slikte en sloot haar ogen.

'Gaat het?' Joan keek bezorgd.

'Ja.' Tanja knikte. 'Alleen...' Ze beet op haar lip. 'Wat nou als ik echt Caroline ben?'

'Dan ben je rijk,' stelde Joan vast. 'Ja, die opa van jou was toch een rijke zakenman?'

'Doe normaal,' riep Hanna. 'Dat bedoelt ze toch helemaal niet?'

'Nee, maar het is wel zo.' Joan zat nu rechtop. 'Kijk naar de voordelen.'

'Welke voordelen?' reageerde Hanna kortaf.

'Ten eerste,' zei Joan. 'Heb je er dan familie bij.'

'Leuke familie,' mompelde Hanna.

'Maakt niet uit. Familie is familie.' Joan stak haar vinger op. 'Ten tweede. Je hebt een oom.'

'Huh?' Nu was het Tanja die rechtop zat.

'Ja, Annekes broer. Als jij Caroline bent, is hij jouw oom.'

'Nou, daar ben ik blij mee,' zei Tanja. 'Zo leuk was die man niet. Hij vroeg alleen maar naar...' Ze stopte met praten.

'Wat?' Joan keek vragend.

'Hij had het over Annekes dochter. Vorige week, op de begrafenis.'

'Ja?'

'Hij vroeg maar door over een erfenis.' Tanja dacht na. 'Hij weet het. Hij weet dat zijn nichtje uit een rijke familie komt.' Ze leunde op tafel. 'En misschien weet hij meer.' Ze dacht terug aan de vreemde blik van de man toen hij het over Annekes dochter had en huiverde.

'Wat nou als het waar is en hij weet dat Anneke mij heeft geruild met de echte Tanja? Dat ze daarom ruzie hebben gekregen?' Ze staarde voor zich uit.

'Je hebt gelijk,' zei Hanna. Ze keek naar het scherm en hield haar vinger op de delete-knop. 'Ik denk dat we beter eerst met hem kunnen gaan praten. Hij kan ons sowieso meer vertellen over die tijd dat Christa in het ziekenhuis lag. Hoe heette die broer?'

'Verstraaten.' Tanja dacht na, maar ze wist zeker dat hij zijn voornaam niet genoemd had. 'Verstraaten, maar zijn voornaam weet ik niet.'

'Thea weet het vast wel,' zei Joan.

Tanja pakte haar telefoon. 'Ja.' Ze stond op en liep naar de andere kant van de kamer. 'Dag Thea, met Tanja spreek je.' Ze wendde zich naar het raam en sprak zachtjes.

'Ik vind het zielig voor Tanja,' fluisterde Hanna die met een schuin oog naar de bellende Tanja keek.

'Hoezo?' siste Joan.

'Jij kijkt alleen maar naar wat het oplevert.'

'Ja, tuurlijk. Dat is altijd het beste.'

Hanna's lippen versmalden zich. 'Ze is misschien ons zusje niet. Dringt het wel tot je door wat dat betekent?'

'Hm, ik zie het probleem niet. Wat we voelen blijft toch hetzelfde? Tanja blijft gewoon Tanja, hoor.'

Hanna legde haar hand op haar hart. 'Hier van binnen bedoel ik. Denk je niet dat het pijn doet als je na zoveel jaar opeens iemand anders bent? Andere familie hebt, zelfs een andere naam?'

Joan haalde haar schouders op. 'Het is maar net hoe je ermee omgaat. Je hoeft niets te veranderen, toch?' Ze wees naar het computerscherm. 'We zoeken uit hoe het zit en gaan door met ons leven.'

'O, zo zie jij dat?'

'Ja, zo zie ik dat!' Joan zuchtte. 'Luister, hoeveel hebben wij al meegemaakt?' Ze pakte Hanna's arm vast. 'Moeder overleden, geen familie, weeshuis, andere ouders, ontdekken dat je er een van een drieling bent, vader gevonden, een halfbroer erbij. Het woord familie zegt me niets!' Ze wachtte even. 'Het gaat erom wie je zelf bent. Tanja, jij en ik. We horen bij elkaar. En misschien niet als familie, maar hé, onze band gaat veel verder!'

'Maar als het waar is, hebben we dus nóg een zus.'

'Ja, gezellig toch?' Joan keek ernstig. 'Luister, als het waar is, kunnen we dat ook wel aan. Samen!'

Hanna dacht na. 'Misschien heb je gelijk.'

'Johannes Ovidius Maria.' Tanja schoof weer op haar stoel. 'Volgens Thea woont hij ergens in Flevoland. Almere, Lelystad, Dronten. Ergens in de polder.'

'Herhaal die naam nog eens.' Hanna's vingers schoten naar het toetsenbord.

Minutenlang was het stil in de kamer. Via allerlei linken kwamen ze terecht bij verschillende mensen met dezelfde initialen en achternaam.

'Dit schiet niet op,' mompelde Hanna.

'Zoek op verpleger,' zei Joan.

'Heel slim.' Hanna zocht geconcentreerd verder.

'Hebbes!' Ze opende een LinkedIn-pagina van ene Jom Verstraaten. Verpleger en woonachtig in Almere. De kleine foto was onscherp.

'Jom,' zei Joan. 'Gekke naam.'

'Johannus Ovidius Maria,' zei Hanna. 'J – O – M.'

Tanja nam de muis over en bewoog de cursor naar beneden. 'Hier staat zijn e-mailadres.'

Hanna schudde haar hoofd en opende een nieuw scherm. 'We zoeken zijn echte adres en gaan naar hem toe. Zoiets bespreek je niet per mail.'

Ze opende het telefoonboek van Almere en typte de naam opnieuw in. 'Kijk eens aan. Meteen raak: adres en telefoonnummer van J.O.M. Verstraaten.'

'Bellen?' Joan keek verwachtingsvol naar Tanja.

'Echt niet!' Tanja schudde haar hoofd.

'Ik bel wel,' zei Hanna. 'Om een afspraak te maken, goed?'

'En wat ga je zeggen dan? Hallo, mogen wij met u komen praten over uw zus? We denken dat ze haar dochter omgeruild heeft?'

'Ik vraag gewoon of hij ons over Chris wil vertellen.'

Joan knikte. 'Ja, strak plan. Hij heeft Christa als verpleger meegemaakt en ons voorgedragen aan Anneke.'

Tanja twijfelde. 'Ik weet het niet.'

Hanna drong aan. 'Al weet hij niets over Anneke en haar dochter, hij heeft wel de laatste tijd van onze moeder meegemaakt. Ik wil dat heel graag horen.'

'Jullie moeder,' mompelde Tanja.

'Onze moeder!' zei Hanna stellig. 'Zolang we geen zekerheid hebben, ben jij gewoon Tanja Couperus, de dochter van Christa Couperus en onze zus.'

Hanna pakte haar telefoon. Ze toetste het nummer in en wachtte.

'Wilt u blijven wachten? Het duurt niet lang.' Joan bedankte de taxichauffeur en stapte uit. Hanna en Tanja stonden al bij de voordeur van het smalle rijtjeshuis.

Terwijl de chauffeur de motor uitzette, drukte Hanna op de bel. Er klonken voetstappen en de deur ging open. 'Meneer Verstraaten?' Hanna stak haar hand uit. 'Ik ben Hanna Couperus en dit zijn mijn zussen Joan en Tanja. Fijn dat we zo snel mochten langskomen.'

'Jom Verstraaten,' zei de man en hij keek met een schuin oog naar Tanja. 'Kom binnen.'

'Zie je wel,' siste Tanja toen ze achter hem aan naar binnen liepen. 'Hij keek weer naar me.'

'Hij keek naar ons alle drie,' fluisterde Joan. 'Relax nou even, ja!'

De drie meiden namen plaats op de zwartleren bank.
'Zo, dus jullie zijn de zusjes Couperus.' Jom Verstraaten ging tegenover hen zitten en staarde naar Tanja. 'Jij was op de begrafenis van mijn zus, toch?'
Tanja knikte.
'Jullie niet?' Jom keek naar Joan en Hanna.
'Nee,' zei Joan. 'Er kwam iets tussen. Ik had een aanrijding en Hanna...'
'Ach, toch niets ernstigs hoop ik?'
'Nee, gelukkig niet.'
'Mooi.' Jom glimlachte. 'Ik wilde eerst ook niet komen, maar ik ben blij dat ik toch geweest ben. Mijn zus en ik...' Hij wachtte even. 'Nou ja, we hadden niet zo'n goed contact, zeg maar.'
'Vroeger toch wel?' vroeg Hanna. 'We begrepen dat u ons aan uw zuster heeft voorgesteld toen onze moeder door u verpleegd werd.'
'Ja, ja, dat is waar.' Hij staarde voor zich uit. 'Het is lang geleden.'
'Zestien jaar,' vulde Hanna aan.
'Juist ja, zestien jaar.' Jom leunde achterover. 'En jullie wilden weten of ik iets over jullie moeder kon vertellen?'
'Onder andere ja,' zei Tanja die haar onrust niet langer kon verbergen.
Hanna gaf haar zus geen kans om verder te praten. 'U bent de laatste die Christa heeft meegemaakt. We hebben verder geen familie, dus toen we hoorden dat u haar tot aan haar overlijden verpleegd hebt, hoopten we dat u ons iets meer kon vertellen over haar. Hoe ze was, wat ze dacht.'

'Ja, ja, ik snap het. Maar waarom die haast? Ik bedoel, jullie wilden per se vandaag nog langskomen. Het is dat ik avonddienst heb en jullie kon ontvangen, maar na al die jaren komt zoiets toch niet op een dag aan?'

'Juist wel,' zei Joan. 'We willen het zó graag horen. Kunt u zich voorstellen hoe het is om niets van je moeder te weten?'

Jom Verstraaten mompelde wat onverstaanbaars en sloot zijn ogen. 'Eens even denken. Christa Couperus, ja. Ze had een ongeluk gehad. Heel triest.' Hij deed zijn ogen weer open. 'Haar drie meiden... eh, jullie dus, waren nog zo jong. Ik zie ze nog op haar bed zitten.' Hij keek de meiden een voor een aan en glimlachte. 'Jullie zijn een stuk gegroeid.'

'Hoe was ze?' vroeg Hanna.

Jom dacht na. 'Ik herinner me nog hoe opgewekt ze was. Haar situatie verslechterde, maar haar humeur leed daar niet onder. Ze was het zonnetje op de afdeling. Daar hadden we met alle collega's bewondering voor.' Hij glimlachte. 'Jullie waren haar alles. Drie van die kraaiende baby's maakten heel wat drukte op de zaal, maar niemand vond het erg. Vooral niet toen we wisten dat Christa het niet zou overleven. Haar organen waren te veel beschadigd. Het was triest om te zien hoe ze jullie knuffelde in de wetenschap dat ze ging sterven. We hebben haar zo veel mogelijk tijd gegeven met jullie, ook buiten de bezoekuren om. Jullie logeerden zolang bij een buurvrouw, een oudere vrouw die de drukte eigenlijk niet aankon. Christa's grootste zorg was hoe het verder moest met jullie. Ze had geen familie meer en geen vrienden of bekenden die jullie opvoeding op zich konden nemen. Drie jonge kinderen... dat vergt nogal wat van iemand. Vandaar dat ik Anneke aan haar heb voorgesteld.'

'Anneke had zelf een dochter van die leeftijd, toch?' vroeg Tanja.

Joms gezicht verstrakte. 'Eh... ja. Dat weten jullie?'

Tanja knikte. 'Caroline.'

'Inderdaad.' Jom keek Tanja doordringend aan. 'Jullie hebben nog samen gespeeld in de zaal waar jullie moeder lag. Anneke nam Caroline altijd mee naar de gesprekken met Christa. Ik denk dat jullie moeder juist daardoor de beslissing kon nemen om de opname in het weeshuis door te zetten. Jullie konden het heel goed met elkaar vinden.'

'Weet u waar Caroline nu is?' Tanja ontweek de boze blikken van Joan en Hanna.

'Ik dacht dat jullie informatie wilden over jullie moeder?' vroeg Jom.

'Eh... ja, dat is ook zo,' zei Tanja. 'Maar als we zo goed met elkaar konden spelen, dan vraag ik me af waarom we ons Caroline niet meer kunnen herinneren.' Ze keek naar haar zussen. 'Jullie?'

Hanna en Joan schudden hun hoofd.

'Nee,' zei Joan. 'Eigenlijk heeft Anneke nooit echt iets over haar dochter gezegd.'

'Dat kan kloppen,' zei Jom. 'Caroline is vlak na jullie komst teruggegaan naar haar vader in Frankrijk.' Hij zuchtte. 'Het ligt allemaal nogal gevoelig. De vader van Caroline was een Fransman. Een rijke zakenman ook nog. Ik had het niet op die vent. Beetje een gladde. Ze zijn uiteindelijk gescheiden en hij heeft na ruim een jaar de voogdij van zijn dochter opgeëist en gekregen. Anneke was er kapot van en veranderde compleet. We hebben toen heel wat ruzie gehad. Ik vond dat ze door moest vechten, tot aan de hoogste rechter, maar zij had zich erbij neergelegd en wilde verder met haar leven.' Hij schudde zijn hoofd. 'Ik heb dat nooit begrepen. Je geeft je dochter toch niet zomaar op? Ze heeft Caroline zonder slag of stoot aan die ex van haar meegegeven en wilde er daarna niet meer over praten.'

'En toen is jullie contact verbroken?' vroeg Tanja.

'Ja, we werden steeds bozer op elkaar en het was beter dat we wat afstand namen.' Hij perste zijn lippen samen. 'Als ik had geweten dat ze in het ziekenhuis lag, was ik meteen gekomen. Maar ik wist het niet.' Zijn stem klonk wanhopig. 'Ik las in de krant dat ze was overleden. Maar misschien was het goed zo. We hadden toch weer ruzie gekregen. Ik blijf nog steeds vinden dat Anneke recht heeft op iets van een compensatie. Die ex van haar was miljonair, ze heeft hem haar dochter geschonken. Daar mag toch wel iets tegenover staan? Al was het maar voor het weeshuis, waar ze haar hele leven voor gewerkt heeft.'

'Dus daarom vroeg u naar haar testament?' Tanja begon Jom Verstraaten steeds beter te begrijpen.

'Ja, ik hoopte dat ze alsnog iets van haar ex had gekregen. Maar zo te horen moest ze elk dubbeltje omdraaien. Het is zo oneerlijk!'

'Weet u waar Caroline nu is?' Tanja stelde de vraag voor de tweede keer.

Jom schudde zijn hoofd. 'Nee, en ik wil het ook niet weten. Ik sluit het af. Uit respect voor mijn zus. Zij wilde dit zo.'

Tanja haalde een foto uit haar jaszak. 'Weet u wie dit

is?' Ze gaf de babyfoto van zichzelf aan Jom.

'Hm.' Hij draaide de foto om. 'Dit is Annekes handschrift.' Hij las de naam. 'Dit ben jij!'

Tanja zweeg.

'Maar waarom vraag je wie dit is? Je naam staat er toch op?' Jom gaf de foto terug. 'Anneke heeft ook een foto gemaakt van jullie drieën bij je moeder op bed. Daar sta ik zelf geloof ik ook nog op. Hebben jullie die gevonden?'

Hanna knikte. 'Ja, die hebben we.'

'Mooi!' Hij keek op zijn horloge. 'Sorry, maar ik moet nu echt naar mijn werk. Als jullie een andere keer waren gekomen, had ik wat meer tijd kunnen maken en jullie iets te drinken kunnen aanbieden. Ik hoop dat ik jullie heb kunnen helpen?'

Tanja stond op. 'Meer dan u denkt. Dank u wel.'

Ze namen afscheid van Jom Verstraaten en stapten in de taxi die op hen was blijven wachten. Zwijgend reden ze terug naar Amsterdam.

10

Voor Tanja

'Ander keertje, goed?' Hanna frummelde wat aan haar shirt. Ze vond het vreselijk om Marc weer te moeten teleurstellen, maar het was even niet anders. 'Tanja heeft ons nodig. We moeten dit samen doen. Dat gesprek gisteren met Verstraaten was een dood spoor. Tanja wil op zoek naar Caroline.'

'In Frankrijk?'

'Ja, of waar dan ook.'

'Liefje, dat kan weken duren.'

'Misschien. Ik weet het niet. Ik weet alleen dat ik haar moet helpen.'

'Joan is toch bij haar?' Marcs stem klonk oprecht verbaasd. 'Jullie hoeven toch niet met zijn tweeën om haar heen te hangen? Ik dacht dat Tanja zo zelfstandig was?'

'Jawel, maar dit ligt toch iets anders. Ze is helemaal in de war. Stel dat ze echt de dochter van Anneke is?'

'Dan is ze niet je zus.'

'Precies.'

'Inderdaad... precies!'
'Wat bedoel je daarmee?' Hanna fronste haar wenkbrauwen. De toon in Marcs stem beviel haar niet.
'Wat ik zeg,' zei Marc. 'Als het niet je zus blijkt te zijn, verandert er dan wat?'
'Eh... nee, niet voor mij althans.'
'Nou dan! Als je het heel nuchter bekijkt, stoppen jullie tijd in iets wat niks op gaat leveren.'
'Ze wil het weten.'
'En dan?'
'Weet ik veel. Niets, denk ik.' Ze zuchtte. 'Oké, je hebt een punt. Rationeel gezien dan.'
'Dus je komt komend weekend?'
Er viel een stilte. Hanna kon onmogelijk antwoord geven op zijn vraag. Het was pas dinsdag. Wie weet wat er nog gebeurde. 'Ik weet het niet. Dat ligt eraan.'
'Oké,' zei Marc. 'Het is al goed. Neem de tijd. Ik hoor het wel, goed?'
'Ja, oké.' Hanna boog haar hoofd en staarde naar de grond. Waarom voelde dit niet oké?
Er klonk gelach op de achtergrond. 'Bel me maar als je tijd hebt,' zei Marc. 'Ik moet nu echt gaan. College.'
Hanna hoorde stemmen op de achtergrond. Er klonk gegiechel en een meisjesstem riep Marcs naam.
'Ben je al op de uni?' vroeg Hanna.
'Ja, hoezo?'
'Nee, zomaar.'
'Nou, dag! Doe je voorzichtig?'
'Ja, doe ik. Dag!' Hanna hoorde een klik en staarde naar haar telefoon.
'Is er iets?' Tanja kwam de kamer in gelopen.

'Eh... nee, nee, niets.' Ze probeerde te glimlachen, maar het lukte niet echt.

'Marc?'

'Ja.' Hanna zuchtte. 'Hij is teleurgesteld dat ik dit weekend ook niet kan komen.'

De woorden van Marc spookten door haar hoofd. 'Weet je wat?' zei ze. 'Waarom laten we het niet gewoon rusten? Die hele speurtocht naar Caroline is niet nodig. Voor mij niet in ieder geval.'

'Voor mij wel,' zei Tanja.

'Maar je haalt alles overhoop. En wat schiet je ermee op? Verander je je leven als je de dochter van Anneke blijkt te zijn? En trouwens... het is zoeken naar een speld in een hooiberg. Weet je wel hoe groot Frankrijk is?

'Ja, maar ik moet het proberen.'

'Ze kunnen wel geëmigreerd zijn of een andere naam hebben aangenomen.' Hanna pakte Tanja's armen vast. 'Luister, jij bent en blijft mijn zus. Wat er ook gebeurt. De waarheid verandert niets aan hoe ik dat voel.'

Tanja zweeg.

'Anneke is overleden,' ging Hanna verder. 'Ze wilde dat je gelukkig was. En dat ben je! Je hebt ons, Parrot, Mike. Een familie die van je houdt. Echt, Tan. Je kunt alleen maar verliezen als je dit doorzet.'

'Jullie zijn van mij gaan houden. Een nieuwe familie kan dat ook.'

De woorden sneden Hanna door de ziel. 'Maar wij zíjn je familie.'

'Misschien,' mompelde Tanja. 'En daarom moet ik dit uitzoeken. Die onzekerheid is *killing*.' Ze keek op. 'Weet je hoe het voelt om voor de tweede keer niet te weten waar je bij hoort? Mijn hele jeugd leefde ik in de veronderstelling dat ik geen familie had op deze aardbol. Opeens had ik twee zussen, een vader en een broer. Dat was heftig.'

'Ja.' Hanna liet Tanja los.

'En nu voel ik die pijn weer. Wie ben ik? Mijn leven is misschien een leugen, een illusie.' Tanja draaide zich om en liet zich op de bank vallen. 'Maar ik begrijp dat het jou en Joan niet aangaat. Jullie zijn gewoon zussen en de dochters van Parrot en...'

'Niet doen.' Hanna's stem trilde. 'Je maakt jezelf gek.'

'Ja, gek van onwetendheid.' Tanja haalde diep adem. 'Maar ik wil jullie niet tot last zijn. Als jij naar Marc wil komend weekend, ga dan gewoon. Ik kan dit ook alleen.'

Hanna schudde haar hoofd. 'Nee, we doen dit samen, weet je nog? Marc wacht wel.' Ze voelde een steek in haar buik. Helemaal zeker was ze niet van haar woorden.

'Je spijbelt ook al van school.'

'Ja, maar ik mis niks. Sharon mailt me de aantekeningen en ik heb geen toetsen.' Hanna zuchtte. 'Ik doe het graag, maar ik vraag me oprecht af wat we ermee opschieten als we dingen over vroeger te weten komen. Het gaat toch om de toekomst?'

'Moet je horen wie het zegt,' mompelde Tanja. 'Jij doet niets anders dan de oude Grieken en Romeinen bestuderen.'

'Je snapt best wat ik bedoel.'

'Ja, maar jij snapt niet wat ik bedoel.' Tanja rechtte haar schouders. 'Dacht je dat ik het leuk vind om op zoek te gaan naar de waarheid?'

'Nee, natuurlijk niet.' Hanna ging naast haar zus zitten. 'Ik wilde alleen...'

'Helpen,' viel Tanja haar in de rede. 'Dat wil iedereen. Maar het voelt niet als helpen. Het voelt alsof jullie me in een bepaalde richting willen duwen.'

Hanna perste haar lippen op elkaar.

'Ik moet dit gewoon doen,' fluisterde Tanja. 'Ik kan niet leven in een leugen.'

'Maar...'

'Nee, niet doen!' Tanja pakte Hanna's hand. 'Je hebt natuurlijk wel gelijk. Er verandert niets aan ons. Als ik niet je zus ben, dan ben ik toch zeker je *best friend*.'

'*Best Friends Forever*?'

Tanja glimlachte. 'Deal!'

'Yes!' Joan kwam de kamer binnen. 'Ik heb mijn vader gesproken en hij laat het uitzoeken.' Ze plofte naast Tanja op de bank. 'Hij heeft zoveel relaties in Frankrijk, dat moet geen probleem zijn, zei hij. Hij heeft zelfs wel eens zaken gedaan met een Beaumonde.' Ze keek opzij. 'Is er wat?'

'Nee, niets.' Tanja stond op. 'Ik ga naar mijn kamer. Parrot bellen, goed?'

'Ga je het hem vertellen?'

'Weet ik nog niet. Ik zie wel.'

Joan en Hanna wachtten tot Tanja de kamer verlaten had.

'Ze is zo koppig,' zei Hanna. 'Ze wil dit per se uitzoeken. Wat schiet ze ermee op?'

'Ik snap het wel.' Joan leunde achterover. 'Als ze een Beaumonde is, heeft ze recht op heel wat meer dan alleen die naam.'

Hanna keek op. 'Jij denkt echt alleen maar aan geld.'
'Mijn vader zegt dat de familie Beaumonde er warmpjes bij zit.'
'Doe niet zo achterlijk!' Hanna vouwde haar benen onder zich op de bank. 'Zo is Tanja niet. En trouwens, ze heeft geld genoeg.'
Joan haalde haar schouders op. 'Geld heb je nooit genoeg.'
'Het gaat Tanja om wie ze is, bij wie ze hoort.'
Joan glimlachte. 'Dat zegt ze, ja. Maar ze heeft ons toch? Wij zijn haar familie. Waarom zou je dan op zoek gaan naar een nieuwe familie? Ik kan maar één ding bedenken.'
'Ze is niet op zoek, Joan. Het overkomt haar. Ze wil gewoon de waarheid weten.'
'De waarheid, de waarheid.' Joan grijnsde. 'Soms is het beter om dingen niet te weten. Maakt het leven een stuk aangenamer.'
'Dat vind jij, ja! Maar Tanja is anders.'
'Ja, Tanja is anders.'
'Waarom zeg je dat op zo'n toontje?'
'Wat voor toontje?' Joan klonk gepikeerd. 'Ik constateer gewoon iets wat we allang weten.'
'Zo klonk het anders niet.' Hanna zag de verbaasde blik van Joan en ontspande. 'Oké, sorry! Ik draaf een beetje door.'
Joan dacht na. 'Wil jij weten hoe het zit?'
Hanna fronste haar wenkbrauwen. De vraag overviel haar. 'Hoezo?'
'Nou, gewoon. Zoals ik het zeg. Wil jij weten of Tanja Tanja is?'

Hanna zweeg.

'Hm, dat zegt genoeg.' Joan duwde een haarlok uit haar gezicht. 'Ik twijfel ook.'

'Zij wil het,' zei Hanna. 'En wij gaan haar helpen. Toch?'

'Ja, ja, tuurlijk.' Joan aarzelde. 'Maar wat nou als ze Tanja niet is?'

Er viel een stilte. Hanna liet de woorden van Joan tot zich doordringen.

'Gaat ze zich dan Caroline noemen?' ging Joan verder. 'Misschien verhuist ze wel naar Frankrijk. Gaat ze Frans praten en stuurt ze ons met kerst een kaartje.'

'Wat erg voor Caroline,' mompelde Hanna. 'Die raakt haar familie kwijt.'

'En wij dan?' Joans gezicht betrok. 'Moeten wij Caroline met open armen ontvangen, als zus? Ik dacht het niet.'

'We zien wel, goed?'

'Misschien wil Caroline wel bij Parrot wonen,' ging Joan verder. 'En verwacht ze dat ze hier kan logeren. Een wildvreemde!'

'Ik wil geen andere zus.' Hanna staarde voor zich uit.

'Ik ook niet.'

Zwijgend keken ze elkaar aan.

'We zijn een drieling,' fluisterde Hanna. 'Zoiets voel je. Tanja hoort bij ons.'

'Ja.'

Hanna vouwde haar handen. Dit was zo onwerkelijk. Het kon gewoon niet waar zijn. Ze fantaseerden maar wat. Haar vingers kromden zich en ze zag haar knokkels wit worden. 'En dat gaan we bewijzen!' Ze ging rechtop zitten. 'Voor Tanja, en voor ons.'

11

Een verzoek

‘Mike heeft zo veel mogelijk afspraken voor je geschrapt de komende weken, maar dat optreden voor The Children’s Society volgende maand mag je niet afzeggen.’ Parrots stem klonk stellig. ‘Ze rekenen op je, Tanja!’

‘Dat weet ik.’ Tanja zat met opgetrokken knieën in de vensterbank en leunde met haar kin op haar bovenarm. ‘Maar ik weet echt niet hoelang ik nog nodig heb.’

‘Verdriet kun je niet laten verdwijnen.’

‘Dat weet ik.’

‘Bezig blijven leidt af.’

Tanja zweeg.

‘Muziek helpt je dingen te overwinnen. Daar weet ik alles van.’

‘Ik blijf liever nog even hier.’

‘Zeker weten?’

‘Nee, maar ik heb gewoon rust nodig.’

‘Dat begrijp ik. Maar soms kan rust je ook gek maken. Doordat je niets te doen hebt, ga je juist nadenken over van alles en nog wat.’

Tanja dacht na. Ze wilde Parrot niet onnodig ongerust maken. 'Dat weet ik, maar ik vind het nu fijner in Amsterdam. Niemand kent me hier. In Londen krijg ik iedereen weer over me heen. Dat wil ik niet. Nog niet.'

'Maar *sweety*, Joan en Hanna moeten naar school. Ik vind het geen prettig idee dat jij de hele dag alleen bent.'

'Dat is precies wat ik nu wil.'

'Maar...'

'Ik red me wel. Echt.'

Er klonk een diepe zucht. 'Als dat echt is wat je wilt?'

'Ja.'

'En dat optreden? Wat zeg ik tegen Mike?'

'We hebben nog even, toch?'

'Jawel, maar wanneer denk je –'

Tanja liet haar vader niet uitpraten. 'Zeg maar tegen Mike dat hij het optreden kan laten staan.'

'Oké, dat is fijn. Ik geef het door.'

'Doe de groetjes aan Ann en Mike.'

'Ja, en jij belt als er iets is?'

'Doe ik.'

'*Bye*!'

'*Bye*.' Tanja liet haar arm zakken en draaide haar hoofd opzij. Met haar wang op haar knieën staarde ze naar buiten. Regendruppels maakten kuiltjes in het grachtenwater. Had ze het moeten vertellen?

'Tanja?' Joans stem galmde door het huis. 'Ik heb broodjes gesmeerd. Kom je?'

Even later zaten ze met zijn drieën in de keuken aan een verlaat ontbijt.

'En?' Joan pakte een broodje rookvlees. 'Heb je het gezegd?'

Tanja schudde haar hoofd. 'Nee.'

'Niet?' Hanna keek verbaasd. 'Maar ik dacht dat je...'

'Ik weet toch nog niets?' ging Tanja verder.

'Nee, dat is waar,' zei Joan. 'Voorlopig gaat het niemand iets aan. Dit is iets tussen ons.'

'Maar als het waar is, dan...' Hanna kon haar zin niet afmaken.

'Dan kan ze het altijd nog vertellen,' vulde Joan aan. 'En als het niet waar is, waar we gewoon van uitgaan, dan had ze alleen maar onnodig paniek gezaaid.'

'Precies.' Tanja knikte. 'Joan heeft helemaal gelijk. Ik wil eerst meer zekerheid.' Ze keek naar Joan. 'Heeft je vader al iets gevonden?'

Joan keek op haar horloge. 'Hij zit in New York, dat is zes uur vroeger.' Ze dacht na. 'Hm, ik doe net of ik gek ben. Is-ie lekker op tijd wakker.' Ze stond op. 'Ik bel wel even, goed?'

'Graag.' Tanja nam een hap van haar broodje kaas, maar het smaakte haar niet echt.

Terwijl Joan de keuken uit liep om ongestoord te kunnen bellen, legde Tanja haar broodje terug op de schaal.

'Je moet wel wat eten, Tan,' zei Hanna.

'Geen honger.'

Er viel een stilte.

'Neem dan in ieder geval wat vitamientjes.' Hanna schoof een pak sinaasappelsap naar Tanja.

'Als Joans vader niets heeft gevonden moet ik zelf gaan zoeken.' Tanja schonk zichzelf een glas sinaasappelsap in.

'We,' verbeterde Hanna haar. 'Dan moeten WE gaan zoeken.'

'Ja, maar... dat kan maanden duren.' Tanja schudde

haar hoofd. 'Die tijd is er niet. Je spijbelt nu al voor de tweede dag van school, Hanna. Daarbij zeurt Mike me aan mijn kop over al mijn afspraken, wil Parrot dat ik terugkom en er was nog iets? O ja, kleinigheidje. Ik heb net misschien wel mijn moeder begraven.' Haar stem sloeg over. 'Ik weet het gewoon niet meer! Mijn hoofd tolt, ik voel van alles. Pijn, angst, boosheid, verdriet. Ik wil rust! Rust in mijn hoofd en rust in mijn leven. Hoe kan dat als iedereen constant van alles van me wil?'

'Heb je liever dat Joan en ik gewoon naar school gaan?'

'Ja... eh... nee, natuurlijk niet!' Tanja voelde tranen opkomen. 'Ik ben blij dat jullie er zijn, maar ik kan toch niet verlangen dat jullie je hele schooljaar op het spel zetten om mij te helpen. Dit is míjn probleem.'

'Dat is niet waar.' Hanna verhief haar stem. 'Dit is net zo goed óns probleem. Hoe denk je dat wij ons voelen?'

Tanja sloeg haar ogen neer. 'Geen idee, maar ik raak misschien alles kwijt.'

'Wij toch ook!' Hanna boog voorover en legde haar hand op Tanja's arm. 'Dit gaat ons alle drie aan.'

Tanja keek op. 'Ik ben bang.'

'Ik ook.' Hanna kneep in Tanja's arm. 'Maar het kan gewoon niet waar zijn. Ik weet zeker dat onze band meer is dan vriendschap. We hebben zoveel meegemaakt, dat hadden we nooit gered als we alleen maar vriendinnen waren.'

'Beste vriendinnen?'

'Ook niet. Jij bent mijn zus. Echt, geloof me.'

Tanja zag de onzekerheid in Hanna's ogen en glimlachte. 'Wie probeer je nu voor de gek te houden?' Ze trok haar arm terug en ging rechtop zitten. 'Misschien moeten we het laten rusten. Wat niet weet, wat niet deert.' Ze sprak de woorden langzaam uit, om ze goed tot zich door te laten dringen. 'Ja, dat lijkt me het beste. Ik ga terug naar Londen, jullie gaan naar school, alles blijft zoals het was.'

'Dat... dat meen je toch niet?' vroeg Hanna vol ongeloof.

Tanja schudde haar hoofd. 'Waarom niet? Het is de makkelijkste manier om dit probleem op te lossen.'

'Je lost niets op.'

'Nee, misschien niet, maar het lucht wel op.'

'Dat denk je maar.' Hanna zat nu rechtop. 'Zoiets blijft altijd knagen. Geheimen kun je niet laten verdwijnen. Die vreten aan je. Je zult je je hele leven lang blijven afvragen wie je echt bent. Is dat wat je wilt?'

'Voor nú misschien wel ja.'

'Kortetermijndenken heeft nog nooit iemand geholpen en dat weet je best!'

'Wat moet ik dan?' Tanja sprong op van haar stoel en schreeuwde het uit. 'Je weet het toch zo zeker? Nou dan! Ga ik een keer af op jouw oordeel, is het weer niet goed.'

'Ik ken jou.'

'O ja? Nou, het blijkt maar weer eens van niet.'

'Jij wilt bewijzen hebben. Jij wilt zeker weten dat je Tanja Couperus bent en niet Caroline Beaumonde. Eerder vind je geen rust. En daarom helpen we jou en gaan we dit samen uitzoeken.'

Tanja kon haar tranen niet meer tegenhouden. 'Ik wil die Caroline niet zijn.' Ze voelde dat haar keel dichtkneep. 'Ik ben Tanja. Tanja Couperus, hoor je me?'

'Ik hoor je.'

Tanja voelde de armen van Hanna om zich heen en liet zich gaan. Haar hele lichaam huilde mee. Het was niet meer te stoppen.

Hanna streelde haar rug. 'Het komt goed. Echt, geloof me. Je raakt ons niet kwijt. Nooit!'

'Hee, meiden, luister!' Joan kwam de keuken in gestormd. 'Oeps, sorry.'

Hanna liet Tanja los.

'Gaat het?' Joan kwam erbij staan.

Tanja veegde haar wangen droog met de mouw van haar shirt. 'Nee, het gaat helemaal niet.' Ze forceerde een glimlach. 'Domme vraag.'

'Eh... ja.' Joan keek naar Hanna, maar die liep terug naar haar stoel en reageerde niet.

'Wat wilde je zeggen?' Tanja haalde diep adem.

'Mijn vader heeft iets gevonden.' Joan ging naast Hanna zitten. Ze legde een papier op tafel. 'Die ouwe Beaumonde woont in Bordeaux. Zijn dochter Amélie heeft de zaak overgenomen, een vastgoedbedrijf in Parijs. Ze schijnt dat goed te doen, zegt mijn vader. Ze hebben vorig jaar nog een groot...'

'En Claude?' Tanja wist dat ze ongeduldig klonk, maar het kon haar niet schelen.

'Claude zit niet meer in het familiebedrijf,' ging Joan verder. 'Hij is hertrouwd met ene Claire, woont in Antwerpen en heeft daar een succesvol muziekbedrijf opgezet. Ik heb al zijn gegevens.' Ze wees naar het papier.

'Muziekbedrijf?' fluisterde Tanja.

'Ja, iets met concerten en evenementen.' Joan glimlachte. 'Moet jou aanspreken, toch?'

Hanna gaf haar zus een por.

'Wat nou?' siste Joan verontwaardigd. 'Zeg ik iets verkeerd?'

'En Caroline?' vroeg Tanja die de opmerking van Joan negeerde.

'Claude Beaumonde heeft drie kinderen.' Joan keek naar het papier. 'Robert, Claude junior en Caroline.'

'Ja?'

'Volgens het bevolkingsregister woont Caroline nog bij haar ouders. Ik heb het adres, dus op naar Antwerpen.' Joan keek triomfantelijk.

Er viel een stilte.

'Wanneer gaan we?'

Hanna pakte een broodje van de schaal en nam een hap.

'Kom op, meiden,' drong Joan aan. 'Wat zitten jullie daar nou te zitten?'

Tanja staarde voor zich uit. Antwerpen. Dat was niet zo heel ver weg.

'Zeg dan wat!' Joan hupte op haar stoel op en neer. 'Dit is toch goed nieuws?'

'Tanja weet niet zeker of ze wel verder wil,' zei Hanna.

'Huh?' Joan keek naar Tanja. 'Mijn vader heeft alles voor je uitgezocht en nu wil je niet meer?'

Tanja leunde tegen de koelkast en sloot haar ogen. Voor het eerst in haar leven wist ze niet wat ze moest doen. Het enthousiaste geratel van Joan irriteerde haar. Ze deed alsof het een spannend avontuur was. Dit was geen avontuur, dit was bloedserieus. Het zou haar leven veranderen.

'Tanja?' Joan stond op en liep naar Tanja toe. 'Antwerpen is vlakbij. Caroline Beaumonde woont bij haar ouders. We hoeven er alleen maar naartoe te gaan en...'

'En wat?' riep Tanja. 'Aanbellen en zeggen: hallo Caroline. Wist je dat je eigenlijk Tanja Couperus heet?'

'Nou, dat lijkt me niet.'

'Wat dan?' Tanja ijsbeerde door de keuken. 'We hebben geen enkel bewijs, Joan. Alleen vermoedens. En trouwens, we komen echt niet zomaar bij die mensen binnen. Hoe zie je dat voor je?'

Hanna had al die tijd niets gezegd, maar reageerde nu direct. 'We kunnen met een smoes een afspraak maken?'

'Een smoes?' Tanja keek verbaasd.

'Ja, ik kan een interview met Claude Beaumonde en zijn dochter regelen voor mijn profielwerkstuk: kinderen van succesvolle zakenmensen, zoiets.'

'En dan?'

'Nou, gewoon. Dan maken we kennis. Ben jij niet nieuwsgierig dan, naar hoe ze zijn?'

Tanja zuchtte. 'Jawel, maar ik ben ook bang.'

'Waarvoor?' Joan mengde zich in het gesprek. 'Wat kan er gebeuren?'

'Van alles. Dat snap je toch wel? We kunnen ons verspreken.'

'Daar zijn we zelf bij.'

'En wat als ik op die Claude lijk? Of erger, als Caroline op een van jullie lijkt?'

'Dat zegt toch nog niets?'

'Nee, precies. Dus wat heeft het dan voor zin?' Tanja liep naar de tafel en pakte haar glas op. 'We besparen ons een heleboel gedoe door niet te gaan.' Ze nam een slok.

'Ik denk het niet.' Hanna stond op. 'Dit is wat ik daarnet bedoelde. Je kunt je kop niet in het zand steken als het om zoiets belangrijks gaat. We moeten dit doen, Tanja. Anders blijven we ons hele leven twijfelen.'

'Ik weet het niet, hoor. Met alleen een ontmoeting bereiken we toch niets? Voor een waterdicht bewijs moet er minstens een DNA-test komen.'

'Misschien wel ja... ooit. Maar nu is een ontmoeting de eerste stap.' Hanna liep de keuken uit. 'Ik pak mijn laptop, goed?'

Even later stonden Joan en Tanja mee te kijken hoe Hanna haar verzoek aan Claude Beaumonde opstelde.

'Je moet wel een beetje slijmen,' zei Joan die meelas wat Hanna typte. 'Dat hij een groot zakenman is en dat je van alle succesvolle ondernemers juist hem graag wilt interviewen.'

Hanna keek op.

'Zo werkt dat bij zakenmensen,' legde Joan uit. 'Doe nou maar, anders verdwijnt je mail al in de prullenbak van de secretaresse. Zet ook maar in de titelbalk dat het vertrouwelijk is. Helpt altijd.'

Hanna deed het en even later lazen ze de mail samen nog eens rustig door.

'Zet er nog even bij dat er haast bij is,' zei Joan. 'Hoe eerder je dat interview mag afnemen, hoe meer tijd je hebt om zijn bedrijf groots te promoten. Dat doet het vast heel goed!'

Hanna verwerkte Joans advies in een afsluitende zin, eindigde met haar contactgegevens en drukte op verzenden. Zwijgend keken ze toe hoe de mail uit de outbox verdween.

12

Twijfel

'Marc?' Hanna stond half in de deuropening en frummelde nog wat aan haar badjas, die ze net dicht had gestrikt. 'Wat doe jij nou hier, zo vroeg?'

'Ook hallo,' zei Marc glimlachend.

'Eh... ja, hoi!' Hanna deed een stap naar voren en sloeg haar armen om zijn hals. 'Wat een verrassing.' Ze kuste hem. 'Moet jij niet naar college?'

'Moet jij niet naar school?'

Hanna liet Marc los en deed een stap opzij. 'Kom verder.'

Marc keek nieuwsgierig rond toen hij in de hal stond. 'Nice!' zei hij bewonderend. Hij schoof zijn sporttas onder de kapstok.

'Geef je jas maar.' Ze pakte een van de weinige haakjes die aan de kapstok hingen. 'Let even niet op mij. Ik ben wat laat met aankleden vandaag.'

'Geen enkel probleem.' Marc grijnsde. 'Integendeel zelfs.'

Hanna stak haar tong uit. 'Mocht je willen.'

'Zijn je zussen thuis?'

'Nee, Joan is even naar de supermarkt hier verderop en Tanja rent 's morgens altijd een rondje door het Vondelpark. Ze is hypernerveus en vroeg wakker.'

Marc pakte haar bij haar middel. 'Dus we hebben het rijk alleen?'

Voordat Hanna iets kon antwoorden, had hij zijn lippen op haar mond gedrukt. Ze ontspande en beantwoordde zijn kus. Het voelde goed om Marc weer te zien. Ze voelde zijn handen onder haar badjas glijden en over haar lichaam bewegen.

'Ik heb je gemist,' fluisterde hij.

'Ik jou ook.' Hanna streelde zijn haar. 'Wat lief dat je helemaal naar Amsterdam komt.'

'En blijft,' zei Marc. 'Ik heb vandaag en morgen geen college dus ik dacht, misschien kunnen we samen wat tijd doorbrengen. Laat je mij overdag Amsterdam zien, hou ik jou 's nachts gezelschap.'

Hanna aarzelde. 'Dat kan niet. We gaan straks weg.'

'Weg?' Marc fronste zijn wenkbrauwen. 'Maar gisteravond zei je dat...'

'Die Beaumonde heeft me gemaild. Hij gaat morgen op zakenreis, dus we kunnen alleen vanmiddag nog komen. De trein vertrekt om halfeen.'

'Naar Antwerpen?'

'Ja, sorry.'

Marcs gezicht betrok. 'Nou, lekker dan.' Hij liet haar los en zuchtte. 'Dat wordt een enkeltje terug naar huis straks.'

Hanna voelde zich opgelaten. 'Ik zag de mail vanmorgen vroeg pas. En ik dacht dat je college had. Als ik had geweten dat je zou komen, dan had ik je gebeld.' Ze keek vertwijfeld. 'Sorry.'

'Niets aan te doen,' zei Marc. 'Dit gaat voor.'

'Meen je dat?'

'Ja, je hebt geen rust voor je het weet, toch?'

'Ja.' Hanna boog haar hoofd. 'Tanja wilde eerst alles afblazen, maar ik ben bang dat dat niet werkt. Zoiets kun je niet zomaar wegstoppen.'

Marc glimlachte. 'Onze filosoof in de dop. Maar je hebt gelijk. Twijfel over je bestaan is funest. Geen mens kan leven in de wetenschap dat hij misschien wel heel iemand anders is.'

Hanna pakte zijn hand. 'Kom, dan laat ik je het huis zien.'

'En je kamer?'

'Misschien.' Ze lachte.

Tanja draaide aan de volumeknop en zocht haar lievelingsnummer op. Haar koptelefoon stuiterde toen de eerste klanken doorkwamen. Met een dreunende beat in haar hoofd rende ze het Vondelpark in. Het voetpad lag er verlaten bij. Dankzij de kou lieten maar weinig toeristen zich zien. Een paar fietsers op het fietspad iets verderop trapten tegen de wind in richting de Stadhouderskade.

Tanja rende onder de Vondelparkbrug door. Ze kon makkelijk tot aan het Blauwe Theehuis en terug. Joan en Hanna sliepen vast nog.

Ze baalde dat er weinig gebeurd was gisteren. Beaumonde had nog niet gereageerd op Hanna's mail. Waarschijnlijk ging hij dat dat ook helemaal niet doen. Waarom zou hij? Misschien hadden ze toch beter eerlijk kunnen zijn. Als ze hadden verteld waar het over ging, had hij vast meteen geantwoord. Ze konden het alsnog doen, natuurlijk. Ze hadden zijn telefoonnummer. Misschien straks, als ze thuis was. Eerst rennen.

Haar benen leken te zweven over het fijne grind. Rennen was fijn. Alle vezels van je lichaam waren bezig met energie leveren. Geen tijd om na te denken over iets anders dan vooruitkomen.

‘Doe maar twee met eiersalade en eentje met kaas.’ Joan stond bij de bakker en keek op haar horloge. ‘Doe er ook nog maar drie krentenslofjes bij.’

‘Opeten of meenemen?’ vroeg het meisje dat haar hielp.

‘Meenemen.’ Joan rommelde in haar portemonnee. Ze had nog net genoeg kleingeld om te betalen.

Even later liep ze over de gracht terug naar huis. Als Tanja nu maar op tijd terug was. Ze hadden haar een berichtje gestuurd, maar haar telefoon stond waarschijnlijk uit want ze had nog niet geantwoord.

Haar eigen telefoon trilde en ze nam op. ‘Hi Tes, hoe is-tie?’

‘Dat kan ik beter aan jou vragen.’ Tessa’s stem klonk geïrriteerd.

‘Het gaat iets beter.’ Joan stond stil. Ze mocht dit niet verknallen. Ze had Tessa de echte reden dat ze thuisbleef niet verteld. Tessa dacht dat ze ziek was.

‘Ben je er morgen?’

‘Nee, dat denk ik niet,’ zei Joan en ze hoestte luid. ‘Ik denk dat het deze week niets meer wordt.’

'Morgen is die presentatie.'

'O, shit!'

'Ja, inderdaad. Ik heb alles alleen gedaan, Joan. Misschien ook maar beter dat je er morgen niet bent. Wel zo eerlijk.'

Joan dacht na. Morgen moesten ze een presentatie houden over een van de impressionistische schilders uit de negentiende eeuw. Was ze helemaal vergeten. 'Wie hebben we?'

'Wé hebben niets, Joan. Ík heb gekozen voor Manet. Edouard Manet.'

'O.' Joan kon door de telefoon heen voelen hoe boos Tessa was. In de verte klonk getoeter.

'Ben je buiten?'

'Eh... ja, eventjes naar de bakker,' antwoordde Joan. 'De hele dag binnen in bed is ook niets.'

Het bleef even stil aan de andere kant van de lijn.

'Heb ik nog dingen gemist?' Joan probeerde zo luchtig mogelijk te klinken.

'Nee, niet echt. Josje gaat met Mohammed.'

'Toch? En ik dacht dat ze op Sal was?'

'Kennelijk niet.'

'Geinig. En jij? Nog nieuws over Tim?'

'Nee, ik ben klaar met die jongen.'

'O?'

Terwijl Tessa vertelde hoe ze was afgeknapt op Tim, liep Joan door naar huis. Bij de voordeur was Tessa net klaar met haar verhaal. 'Zie ik je maandag?'

'Ja, dat denk ik wel,' zei Joan.

'Oké, bye!'

'Hoi!' Joan hing op en stak haar sleutel in het slot. 'Joehoe, ik ben er weer.' Ze hing haar sleutels op het rekje en ritste haar jas open. 'Hanna?'

'Ja, hier!' Hanna stak haar hoofd om de hoek van de overloop. 'We komen eraan. Ik pak even mijn mobiel.'

Joan keek tevreden. Tanja was er dus al. Mooi, dan kon ze treinkaartjes bestellen. 'Ik heb broodjes en een krentenslof, voor ieder één,' riep ze.

'Lekker!'

Joan draaide zich om en keek naar boven. Het grijnzende gezicht van Marc was wel het laatste dat ze verwachtte. 'Hé!' Ze wist dat het niet erg enthousiast klonk, maar meer zat er even niet in. 'Wat doe jij nou hier?'

'Ook goede morgen, Marc!' Marc liep de trap af. 'Jij en je zus lijken niet echt op elkaar, maar jullie stellen wel dezelfde vragen.'

'O?' Joan keek naar Hanna die nu ook de trap af kwam.

'Ik vroeg hetzelfde,' legde Hanna uit.

Joan voelde zich ongemakkelijk. Ze ontweek Marcs blik en concentreerde zich op de rits van haar jas. Haar wangen kleurden rood. In een flits dacht ze terug aan hun zoen, in de wintersportvakantie met haar zussen. Ook al speelde er niets meer tussen Marc en haar, ze voelde zich toch een beetje verlegen.

'Ik heb hem het huis laten zien,' zei Hanna. Ze stond op de een na onderste trede van de trap en sloeg haar armen om Marc heen. 'En mijn kamer.' Ze straalde. 'Je had geen minuut eerder moeten terugkomen.'

Joan glimlachte. 'Ben ík even blij dat het winkelmeisje zo traag was. Ik bedoel... als ze sneller had gewerkt, was ik eerder thuis geweest en... nou ja, zoiets kun je geen toeval meer noemen, toch?' De doordringende blik van Hanna deed haar zwijgen. 'Sorry, ik praat weer eens te veel.'

Marc lachte. 'Ik ben wel wat gewend, hoor.'

Hanna kwam naar beneden. 'En wat bedoel je daar precies mee?' Ze lachte en Joan was blij dat de aandacht verlegd was.

'Dus jij houdt het hier wel een hele dag uit met drie kakelende meiden?' vroeg Hanna.

Marc gaf haar een kus op haar voorhoofd. 'Stel me op de proef, zou ik zo zeggen.'

Joan aarzelde. 'Weet Marc dat we...' Ze zweeg.

'Ja, ik weet dat jullie zo weggaan,' zei Marc. 'Jammer genoeg. Maar een volgende keer blijf ik graag wat langer.'

Hanna trok een beteuterd gezicht. 'Hij had onverwacht twee dagen vrij en wilde mij verrassen.'

'Wat lief.' Joan overhandigde de zak met broodjes aan haar zus en trok haar jas uit. 'Drinken halen we wel op het station, goed?'

Marc pakte zijn jas. 'Dan wens ik jullie nog een prettige dag.'

Hanna pakte zijn arm vast. 'Nog niet weggaan.' Ze keek naar Joan. 'Als Tanja niet op tijd thuis is, gaan we niet, toch?'

'Is ze er nog niet dan?' vroeg Joan.

'Nee.' Hanna schudde haar hoofd. 'Ik heb al gebeld, maar ze neemt niet op.' Ze keek naar de klok. 'We hebben nog wel even.' Ze liep naar de keuken. 'Koffie dan maar, Marc?'

'Ja, lekker.' Marc liep naar de huiskamer en pakte de krant van tafel.

'Wat doet Marc hier,' siste Joan toen ze achter Hanna aan de keuken in liep.

'Wat denk je?' Hanna pakte drie bekers. 'Jij ook koffie?'

'Ja, een dubbele graag.' Joan leunde tegen de keukentafel. 'Hoe gaat het tussen jullie?'

Hanna vulde het waterreservoir. 'Goed, hoezo?'

'O, zomaar.'

Hanna draaide zich om. 'Heb jij er last van?'

Heel even keken ze elkaar doordringend aan.

'Nee, jij?' antwoordde Joan.

'Niet als jij je gewoon gedraagt als Marc in de buurt is.'

'Hoezo?' Joan liep naar de koelkast en pakte de koffiemelk.

'Moet je dat nog vragen?' Hanna gooide een suikerklontje in een van de kopjes. 'Je ontweek zijn blik, werd rood en je kraamde onzin uit. Ik zou er bijna wat van gaan denken.'

Joan verschoot van kleur. 'Niet doen. Het is gewoon... nou ja, wat ongemakkelijk om te weten hoe het vriendje van je zus zoent.'

Hanna steunde met haar handen op het aanrecht en boog haar hoofd. 'Ja, maar als ik moet nadenken over alle meisjes die Marc in zijn leven gezoend heeft, dan word ik gek.' Ze draaide zich om. 'Hoe denk je dat ik me voel?'

'Is dat een serieuze vraag?'

'Nee, sorry. Laat maar.'

'Twijfel je?' Joan kwam dichter bij Hanna staan.

'Nee!' Hanna's stem klonk stellig. 'Marc houdt van mij.'

'Zegt-ie.'

'Ja.'

'En je gelooft hem?' Joan keek haar zus onderzoekend aan. 'Hanna?'

'Als ik dat niet doe, wat stelt onze relatie dan voor?'

'Dat is waar.' Joan schoof twee bekers onder het koffiezetapparaat en drukte op de knop. 'Brent woont in Londen. Dat is zo ver weg. We zien elkaar zo weinig. Ik bedoel... hij daar, ik hier. Het is niet dat ik hem niet vertrouw, maar wat nou als een of andere griet werk van hem maakt? Eentje die altijd in de buurt is. Denk je niet dat hij dan...' Ze haalde diep adem. 'Soms word ik gek van mezelf.'

'Ja, dat herken ik wel.' Hanna keek op. 'Marc is knap, slim, grappig en een charmeur. Hij wordt omringd door mooie meiden en in zijn vakanties is hij skileraar. Hoe erg kun je het hebben?'

'Op een schaal van een tot tien?' Joan zuchtte. 'Een tien!'

Een luide schaterlach klonk. 'Precies! En ik ga zo veel mogelijk genieten van die tien van me.' Hanna sloeg haar armen om Joan heen. 'Ik ben zo blij dat jij mijn zus bent!'

'Ja, ik ook.' Joan hield Hanna stevig vast. 'En weet je waarom? Wij kunnen elkaar vertrouwen. Altijd!'

'Zo zijn zussen.'

'Misschien.' Joan liet Hanna los. 'Jij en Kim. Voelt dat anders? Ze is niet je echte zusje.'

Hanna aarzelde. 'Ik hou van Kim.'

'Dat bedoel ik niet,' zei Joan. 'Ik hou ook van Mike, maar hij is een halfbroer. Mijn band met hem is lang niet zo sterk als die met jou. Ik kan het niet precies uitleggen, maar snap je wat ik bedoel?'

'Ja, en ik denk dat je gelijk hebt,' zei Hanna. 'We hebben iets speciaals. Iets onvoorwaardelijks. Ook al hebben we ruzie of zien we elkaar maanden niet, je weet gewoon dat het goed is.'

'Misschien ook omdat we een drieling zijn,' zei Joan.

'Ja.'

Er viel een stilte. De koffie was klaar en Hanna haalde de bekers weg. Ze zette de derde beker eronder en drukte op de knop. 'Als Tanja nu niet Tanja is...' Ze zuchtte. 'Ik bedoel, als die Caroline onze zus blijkt te zijn...' Ze stokte. 'Laat maar, het is gewoon niet zo.'

'Zoiets voel je meteen,' zei Joan. 'Ik weet zeker dat we het weten als we haar ontmoeten.'

'En Tanja dan? Stel dat het waar is, wat gebeurt er dan?'

'Ik weet het niet.' Joan trommelde met haar vingers op het aanrecht. 'Ik weet het echt niet, Han.'

'Daar ben ik weer.' Tanja stond in de deuropening en hijgde. 'Zouden jullie ook eens moeten doen.'

'Wat?'

'Rennen, al die sombere gedachten uit je hoofd wapperen.' Tanja pakte een theeglas. 'Word je vrolijk van.'

'Hoelang sta jij hier al?' vroeg Joan.

'Lang genoeg om te horen dat jullie aan alles twijfelen.' Ze liet kokend water in haar glas lopen. 'Lekkere zussen zijn jullie.'

Hanna wilde haar zus omhelzen, maar Tanja draaide zich om. 'Ik ga douchen.'

13

Leugens

'De trein naar Brussel zal vertrekken van spoor 21. Herhaling...'

'We nemen een taxi.' Joan liep als eerste de stationshal uit. 'We hebben lang genoeg als haringen in een ton gezeten.' Met grote stappen beende ze in de richting van de taxistandplaats. 'Nu weet ik weer waarom ik nooit met het openbaar vervoer reis. Wat doen al die mensen in die trein?'

'Hetzelfde als wij: naar Antwerpen reizen,' zei Hanna.

'Maar moet dat dan op elkaars schoot? Die engerd naast me stonk en hij duwde de hele tijd tegen me aan. Grrrr.'

'Hij vond je leuk,' merkte Tanja op.

'Haha, wat grappig,' riep Joan. 'Als je maar weet dat ik op de terugreis naast een van jullie wil zitten.' Ze versnelde haar pas en zwaaide naar een van de taxichauffeurs.

Tanja en Hanna volgden haar in een iets langzamer

tempo. Ze hadden een lange treinreis achter de rug en waren blij dat ze hun benen konden strekken.

'Gezellig,' mompelde Tanja. 'Joan houdt de stemming er lekker in.'

'Trekt wel bij,' zei Hanna.

'Ik hoop het.'

Joan stond al bij de voorste taxi en gebaarde naar haar zussen dat ze moesten instappen.

'Haast?' Tanja stapte achter in de taxi.

Joans gezicht betrok. 'Nee hoor, helemaal niet! Doe vooral rustig aan. Die afspraak aan de andere kant van Antwerpen is pas over zeven minuten, dus maak je vooral niet druk. We kunnen ook gaan lopen?'

Hanna schoof naast Tanja op de achterbank. 'We moeten inderdaad een beetje opschieten. Fijn dat we met de taxi kunnen, Joan.'

Terwijl de taxi wegreed, staarde Tanja uit het raam. Dat gestreste gedoe van Joan werkte op haar zenuwen. Dat kon ze er nu echt niet bij hebben. Als Joan nog één zo'n sarcastische opmerking maakte, zou ze flippen. Natuurlijk wilde ze ook op tijd zijn, maar tegelijkertijd was ze bang. Bang voor een ontmoeting met de man die misschien wel haar vader was. Bang voor wat ze zou voelen als ze hem zag.

Hanna zou het woord doen. Dat hadden ze afgesproken. Zij leidde het project en zij had ook de afspraak met Claude Beaumonde gemaakt. Tanja voelde haar handpalmen klam worden.

'Gaat het?' Hanna legde haar hand op Tanja's knie.

Tanja drukte haar voorhoofd tegen het raam. Het voelde koud aan. 'Ja,' fluisterde ze, en ze wist dat ze loog.

De taxi stopte voor een groot ijzeren toegangshek in een buitenwijk van Antwerpen. Joan betaalde de chauffeur en bedankte hem voor de snelle rit. Aan de grijns op het gezicht van de chauffeur te zien was hij blij met zijn fooi.

Even later reed de taxi weg en belde Hanna aan. Er klonk een zoemtoon en het kleine beeldscherm achter het hek sprong aan. 'Ja?'

Hanna deed een stap naar voren zodat haar gezicht duidelijk op het scherm te zien was. 'Hanna Verduin. Ik heb een afspraak met meneer Beaumonde.'

'Een ogenblikje.'

Er klonk een klik en het hek ging open.

'Prima geregeld,' mompelde Joan en ze liep het grindpad op dat naar de villa leidde.

Hanna en Tanja volgden. Achter hen ging het hek weer dicht.

'Het voelt alsof we worden opgesloten,' fluisterde Hanna.

Joan was als eerste bij het bordes en begroette de vrouw die hen opwachtte. 'Dag, ik ben Joan en dit zijn Hanna en Tanja.'

'Marie.' De vrouw gaf de meisjes een hand en vroeg of ze haar wilden volgen. Weer ging Joan voorop.

'Je kunt wel zien dat ze zich hier thuis voelt,' zei Hanna die dicht in de buurt van Tanja bleef.

Marie wees naar een garderobe en de meiden trokken hun jas uit. 'Geeft u maar, hoor.' Marie nam de jassen aan en hing ze in de kast. 'Ik zal u naar het kantoor van meneer brengen. Komt u maar mee.'

Even later betraden ze een enorm kantoor.

'Als u hier efkes wilt wachten, dan verwittig ik meneer Beaumonde dat u er bent.'

'En Caroline,' zei Joan die de kamer met een bewonderende blik opnam. 'We hadden met beiden een afspraak.'

'Jawel.' Marie draaide zich om.

'En Marie...' Joan stak haar hand op.

'Ja?'

'Kun je misschien iets van water regelen? We hebben echt een heel lange reis gehad.'

'Jazeker.' Marie liep het kantoor uit en sloot de deur achter zich.

'Wat doe jij nou?' siste Hanna.

'Huh?' Joan keek haar niet-begrijpend aan. 'Wat bedoel je?'

'Je commandeert die vrouw alsof... alsof ze jouw bediende is.'

'Dat is ze toch ook?' Joan rechtte haar rug. 'Dat is haar werk!'

'Het voelt raar.'

'Voor jou, ja.' Joan liep naar het grote raam. 'Heb je die tuin gezien?'

Tanja was naar de schouw gelopen en bekeek het grote schilderij dat boven de haard hing. Het was een familieportret. Een man, een vrouw, een dochter en twee zonen. Er ging een rilling door haar heen. Dit was hem dus. Ze kneep haar ogen samen en concentreerde zich op de ogen van de man. Vriendelijke ogen. Tanja perste haar lippen samen. Hoe kan een man die zijn dochter bij haar moeder weghaalt vriendelijk zijn? Dit schilderij was een leugen.

Tanja deed een stap naar voren. De kin van Claude was krachtig, zijn mond klein in verhouding tot zijn gezicht. Smalle lippen die licht omkrulden maar niet tot een glimlach kwamen. Ze rilde. Het was alsof hij haar aankeek. Ze deed een stap opzij, maar zijn blik volgde haar, wilde haar niet loslaten.

Tanja concentreerde zich op het meisje. Ze stond voor haar vader en was hooguit een jaar of acht. Donker haar, smal gezicht, een wipneusje net als Joan. Ze schrok van haar gedachten. Net als Joan. Net als Joan. Ze knipperde met haar ogen. Onzin! Miljoenen mensen hadden een wipneus. Ze moest zich niet gek laten maken door algemene trekjes.

'En?' Ze voelde een hand op haar schouder. 'Wat voel je?' Hanna's stem klonk bezorgd.

'Niets,' fluisterde Tanja. 'Ik voel niets.'

'Het is maar een schilderij.'

'Hebben jullie gezien dat er een Bentley naast het huis staat?' Joan draaide zich om. 'Hé, wat staan jullie daar nou in een hoekje?'

Hanna wees naar het schilderij.

'O.' Joan kwam bij hen staan. 'Mooi!'

'Vind je?' Tanja draaide zich om.

'Eh... ja, net echt.'

Hanna slaakte een diepe zucht. 'Wat kun jij toch een verschrikkelijk bord voor je kop hebben, Joan. Daar gaat het toch helemaal niet om!'

'Dat weet ik ook wel.' Joan keek verongelijkt. 'Maar wat schieten we ermee op om...' Ze stopte met praten. De deur van het kantoor ging open en een man van een jaar of veertig begroette hen hartelijk. 'Goedemiddag, excuses voor het wachten. Ik was nog even in bespreking.'

Marie kwam achter hem aan met een dienblad met een kan water en glazen. Ze zette het dienblad op tafel en verdween. Hanna deed een stap naar voren en gaf de man een hand. 'Ik ben Hanna Verduin.'

'Aha, de initiatiefneemster. Ik ben Claude Beaumonde.' Zijn Franse accent was duidelijk hoorbaar. 'En jullie zijn?' Hij wendde zich tot Joan en Tanja die nog steeds bij de schouw stonden.

'Joan,' zei Joan. 'Joan van den Meulendijck.'

'Meulendijck? Toch geen familie van Thomas van den Meulendijck?'

'Dat is mijn vader.'

'Allee, dat is toch ook toevallig. Daar heb ik nog zaken mee gedaan. Hoe gaat het met hem?'

Joan glimlachte. 'Goed. Ik moest u de groeten doen.'

'Dat is mooi, dat is mooi.' Claude Beaumonde richtte zich tot Tanja en stak zijn hand uit.

'Dag,' zei Tanja. Er ging een gevoel van afgrijzen door haar heen toen ze zijn hand schudde. Alsof er drieduizend volt door haar lichaam werd gejaagd. Deze man mocht niet haar vader zijn. Haar benen trilden.

'Gaat het?' Claude Beaumonde nam haar onderzoekend op.

Tanja liet zijn hand los en herstelde zich. 'Ja, dank u. Het was een lange reis.'

Claude lachte hartelijk. 'Dat mag ik geloven.' Hij schudde zijn hoofd. 'Weet je dat jij heel erg lijkt op een zangeres uit Engeland? Hoe zei je dat je naam was?'

Tanja verschoot van kleur. Dit had ze niet zien aankomen. Stom! 'Echt?' zei ze zo verbaasd mogelijk.

Claude knikte. 'Schijnt een talentje te zijn. Ik moet er nog eens achteraan.' Hij bleef haar verwachtingsvol aankijken.

'Fijn dat we langs mochten komen op zo'n korte termijn,' zei Hanna. 'We willen u natuurlijk niet te lang ophouden. Zullen we beginnen?'

'O ja, goed idee.' Claude liep naar de vergadertafel bij het raam en gebaarde dat ze konden plaatsnemen. 'Mijn dochter Caroline komt zo. Ze had een extra uur les vandaag.'

Tanja ging aan de hoek van de tafel zitten, zo ver mogelijk bij Claude Beaumonde vandaan, maar haar blik gefixeerd op elke beweging die hij maakte. Ze was blij dat Hanna de situatie gered had. Hij had werkelijk geen idee wie zij was en dat wilde ze graag zo houden.

'En jullie zijn klasgenoten?' vroeg Claude.

'We werken samen aan dit project,' legde Hanna uit. 'Joan noteert, zij observeert.' Bij het uitspreken van het woordje 'zij' wees ze naar Tanja.

Claude vouwde zijn armen en leunde achterover. 'Nou, jullie hebben hier goed over nagedacht. Ik ben benieuwd.'

Terwijl Hanna haar eerste vraag stelde en Joan haar iPad opende, staarde Tanja onophoudelijk naar de man aan de andere kant van de tafel. De gelijkenis met het schilderij was frappant. Hij was een paar jaar ouder geworden: zijn haren waren grijzer, zijn gezicht voller en zijn ogen smaller. De vriendelijke blik van het schilderij kon Tanja echter niet terugvinden. Er was iets wat ze niet kon plaatsen.

'En uw dochter, hoe staat zij hierin?' Hanna's stem deed haar opschrikken uit haar gedachten.

'Dat kan Caroline het beste zelf vertellen,' antwoordde Claude.

'Maar u kent haar al haar hele leven,' ging Hanna verder. 'Was ze als baby ook al zo doortastend?'

Tanja voelde dat de spanning zich opbouwde. Zou Claude hun de waarheid vertellen?

'Ja, ja, dat geloof ik wel,' antwoordde Claude.

Hanna speelde er knap op in. 'Gelooft u dat? Weet u het niet zeker?'

Claudes blik dwaalde af naar het schilderij boven de schouw. 'Caroline heeft het eerste jaar van haar leven ergens anders gewoond.'

'O?' Hanna keek oprecht verbaasd en Tanja zat op het puntje van haar stoel.

'Een lang verhaal, dat me nu niet echt relevant lijkt.'

Tanja zag dat Hanna haar papier met vragen met witte knokkels vasthield. Nu moest ze volhouden.

'O, maar het gaat juist om uw beeld van Caroline,' ging Hanna verder. 'Haar karaktervorming, haar jeugd, alles is belangrijk in dit onderzoek. Welke eigenschappen en talenten u belangrijk vindt.'

Claude Beaumonde knikte. 'Goed dan.' Hij boog voorover en zette zijn ellebogen op tafel. Zijn gespreide vingers raakten elkaar bij de toppen en vormden zo een brug. 'Caroline is de dochter van mijn eerste vrouw. Een Hollandse.'

Tanja had haar handen in haar schoot liggen en balde haar vuisten.

'Een lief mens, maar we verschilden te veel van elkaar. Vlak na de geboorte van Caroline zijn we gescheiden. Ik ben teruggegaan naar Frankrijk, naar mijn ouders. Caroline bleef bij haar moeder in Amsterdam. Zodoende heb ik de eerste maanden van haar leven niet echt meegemaakt.'

Tanja zag dat Hanna haar best deed om neutraal te blijven kijken. Joan zat voorovergebogen naar haar iPad te turen. Dit was allemaal zo onwerkelijk. Hij vertelde de waarheid. Alsof het hem niets kon schelen dat hij zijn vrouw en kind in de steek had gelaten.

'Maar Caroline is op een bepaald moment toch bij u komen wonen?' vroeg Hanna.

'Mijn ex...' Claude stopte met praten en dacht na. 'Nou ja, ze had geen eigen huis, zorgde voor tientallen andere kinderen en ik maakte me zorgen over mijn dochter.'

Tanja wilde het uitschreeuwen, zijn ogen uitkrabben. Hoe durfde hij Anneke zo neer te zetten? Natuurlijk had ze geen huis, ze woonde in het weeshuis. En ja, ze zorgde voor heel veel andere kinderen, maar dat was haar werk. Tanja merkte dat ze haar stoel naar achteren schoof. Klaar om op te springen, om hem eens flink de waarheid te vertellen.

'Dat klinkt zorgelijk,' zei Hanna.

'Dat was het ook,' verzuchtte Claude. 'Gelukkig kon ik Caroline na ruim een jaar weer in mijn armen sluiten. Ik was ondertussen getrouwd met Claire en kreeg de voogdij toegewezen. Sindsdien woont Caroline hier. Ze weet niet beter dan dat Claire haar moeder is.'

'En de Nederlandse moeder?' vroeg Hanna.

Tanja wist dat Hanna ver ging nu, maar alles wat ze te weten konden komen was meegenomen.

'Geen idee, we hebben nooit meer contact gehad.'

'Nooit meer?' Hanna keek oprecht verbolgen.

'Nee, mijn ex had het waarschijnlijk te druk met al die andere kinderen, denk ik.'

Tanja had haar voeten onder de stoel geschoven. Haar tenen raakten de grond, maar haar voeten wipten op en neer. Wat een vuile leugenaar! Anneke had honderden kaarten gestuurd, elke dag gebeld, cadeautjes verzonden. Niets was aangekomen. Thea had het haar allemaal verteld. Claude had zijn dochter de liefde en aandacht van haar moeder ontnomen.

'Maar miste Caroline haar moeder niet, dan?' vroeg Hanna.

'Nee.' Claude klonk opeens niet meer zo relaxed. 'Ik denk dat je nu wel genoeg informatie hebt over dit onderwerp.'

'Eh... ja, ja, natuurlijk. Nog één vraag. Weet Caroline dat...' Ze aarzelde.

'Dat Claire haar moeder niet is? Jazeker. We zijn altijd open en eerlijk geweest. Ze weet alles.'

Tanja voelde dat iedere spier in haar lichaam gespannen stond. Het liefst had ze de man de waarheid verteld, maar ze wist dat ze dan haar eigen glazen ingooide.

Terwijl Hanna nog wat andere vragen aan Claude stelde, over zijn werk en het bedrijf dat hij had opgebouwd, probeerde Tanja haar kalmte te bewaren. Als ze Caroline wilde ontmoeten, moest ze het spel meespelen.

'Vanwaar uw interesse in muziek?' Hanna leunde achterover. 'Toch heel iets anders dan het werk dat uw vader en uw zus doen.'

'Amélie en mijn vader zijn gek op handeldrijven. Ik niet. Ik heb me altijd al geïnteresseerd voor muziek. Vooral jong talent en nieuwe stromingen trekken me aan. Ik heb pas nog een concerttour georganiseerd voor Tom Odell. Ken je die? Talentje.'

Hanna knikte. 'Vindt u het fijn dat Caroline dezelfde interesses heeft?'

'Jazeker, ze wil heel graag in de zaak komen werken, zichzelf opwerken en dan ooit de boel overnemen hier. Ze weet veel van muziek. Ze kent alle nieuwelingen. Een echte muziekfreak.'

Tanja kreeg een onrustig gevoel. Ze boog haar hoofd en zette haar ellebogen op de leuningen van haar stoel. Haar gespreide vingers raakten elkaar vlak voor haar gezicht. Wat nou als die Caroline haar herkende? Tanja was bij het grote publiek in Europa misschien nog niet zo bekend, maar de kenners hielden haar wel degelijk in de gaten. Caroline kon wel eens veel meer weten dan haar vader.

'En dat muziektalent heeft ze van u?' ging Hanna verder.

Claude barste in lachen uit. 'Wat dacht je zelf? Natuurlijk!'

'Nou ja, ik dacht dat misschien haar moeder...'

'Nee, nee, die had niets met muziek.'

Hanna wachtte even en Tanja wist dat ze de woorden van Claude goed tot zich door liet dringen. Tot nu toe had ze van alles gehoord, maar het bewijs was er nog steeds niet. Gelukkig maar. Haar afkeer van deze man maakte haar onrustig. Als hij haar vader was, dan zou ze hem niet in haar leven toelaten. Caroline mocht hem houden! Een man die Anneke zo behandeld had, hoefde ze niet als vader.

'Heeft u misschien foto's van u en uw gezin die ik voor

mijn werkstuk mag gebruiken? Van vroeger en van nu? Hanna legde haar papier met vragen op tafel en wees naar het schilderij. 'U bent niet echt veranderd zie ik.'

Claude glimlachte. 'Je moest eens weten, meisje.' Hij stond op. 'Ik zal eens kijken wat ik voor je kan doen.' Hij liep naar een kast en opende de deur. 'Hier staan wat fotoalbums.'

Terwijl Claude zich concentreerde op de albums, maakte Tanja een snijbeweging bij haar hals. Haar gezicht stond op onweer.

Joan probeerde haar lachen in te houden. Hanna gebaarde dat ze rustig moesten blijven.

'Ha, hier heb ik wat.' Claude kwam terug met een klein fotoalbum en legde dat op tafel. 'Kijk, wat vind je van deze?' Hij liet een familiefoto zien van hem, zijn vrouw en de kinderen ergens op een strand. 'Dit was vijf jaar geleden op Tenerife.' Hij bladerde door. 'En deze is van drie jaar geleden. Zal ik daar door mijn secretaresse een scan van laten maken? Dan mailt ze die wel even.'

'Eh... ja, heel graag,' zei Hanna.

Claude knikte. 'Prima, dan rond ik dit gesprek nu af. Ik moet echt weg. Ik zal Marie vragen om Caroline te sturen. Dan kunnen jullie met haar verder praten. Mag ik jullie hartelijk bedanken? Ik ontvang graag het complete werkstuk ter inzage voor je het inlevert. Afgesproken?'

Hanna knikte. 'Ja, meneer. Dat zal ik zeker doen.'

'Heb je ook nog beeldmateriaal nodig van mijn bedrijf? Het logo, magazines, locaties?'

'Ja, heel graag.'

'Mooi, dat regelen we voor je.' Claude gaf Hanna een hand. 'Succes.'

'Dank u.'

'Dames!' Claude gaf Tanja en Joan een korte hoofdknik en verdween.

Er viel een diepe stilte.

'Wat een hufter.' Tanja sprak de woorden langzaam en met nadruk uit. 'Ik heb nu al spijt van ons bezoek. Zag je hoe hij naar me keek? Hij herkende me, ik zweer het je.'

'Je deed het goed,' zei Hanna. 'Hij legde de link niet.'

'Caroline misschien wel.'

Joan was opgestaan en liep naar de openstaande kast.

'Wat doe je?' Hanna draaide zich om.

Zwijgend trok Joan een groot leren fotoalbum uit de kast en sloeg het open. 'Kijken!'

Tanja was opgesprongen en kwam naast haar staan.

'Jongens, niet doen!' Hanna keek zenuwachtig naar de deur van het kantoor. Caroline kon ieder moment binnenkomen.

'Dat is Caroline.' Tanja wees naar een foto waarop een peuter stond. Ze boog voorover. 'Ze lijkt echt op mij.'

Op dat moment zwaaide de deur van het kantoor open en stapte er een meisje van hun leeftijd naar binnen.

14

Een onverwachte beslissing

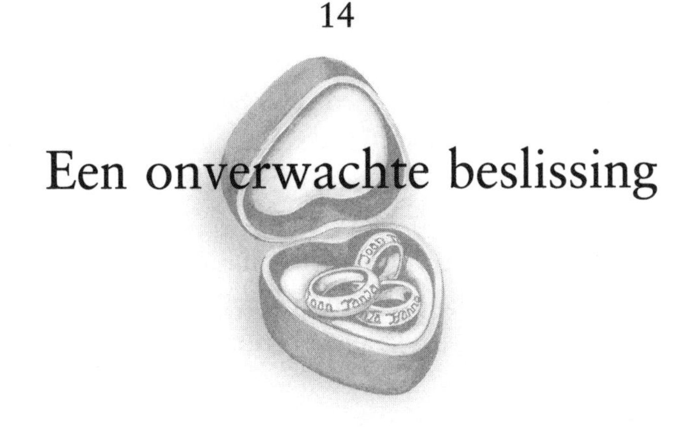

'Dag, ik ben Caroline.'

'Fijn dat je ons wilt helpen.' Hanna liep naar Caroline toe en schudde haar de hand. 'Zullen we maar meteen beginnen?'

Wat overdonderd ging Caroline op de stoel zitten waar haar vader net nog had gezeten.

'Ik ben Hanna, en dit zijn twee klasgenoten die aan dit project meewerken.' Hanna wees naar Joan en Tanja die nog steeds bij de kast stonden. 'Je vader heeft ons wat foto's laten zien.'

'O, dan is het goed.' Caroline ontspande. 'Ik dacht dat u...' Ze stopte met praten en keek naar Tanja en Joan die naar hun stoel liepen.

'Zeg maar jij hoor,' zei Joan.

'Zullen we dan maar beginnen?' Hanna schoof haar stoel naar voren.

'Eh... ja, ja, dat is goed.' Haar blik bleef op Tanja rusten.

‘Is er iets?’ Tanja keek Caroline uitdagend aan.
‘Eh... nee, nee, ik dacht alleen dat u... ‘
‘Jij,’ verbeterde Joan haar.
‘Jij lijkt op iemand.’ Ze staarde naar Tanja. ‘Echt!’
Tanja probeerde haar onrust te verbergen. ‘Ja, dat zei je vader ook al.’ Ze toverde een glimlach op haar gezicht. ‘Ik schijn op een Engelse zangeres te lijken?’ Ze probeerde zo relaxed mogelijk te klinken.
‘Ja.’ Caroline keek opgelucht. ‘Tanja. Ken je die?’
Tanja schudde haar hoofd. ‘Nee, nooit van gehoord.’ Vanuit haar ooghoeken zag ze Hanna ongemakkelijk op haar stoel schuiven.
‘In Engeland is ze al best bekend,’ zei Caroline. ‘Ze is de dochter van Parrot.’
‘Die ken ik wel.’ Tanja knikte. ‘Van The Jeans, toch?’
‘Ja, ze kan echt goed zingen,’ ging Caroline verder. ‘Ik geloof dat ze nu in Frankrijk een contract krijgt. Wie weet kan mijn vader haar binnenkort contracteren.’
‘Dat zou mooi zijn,’ zei Tanja en ze kon een glimlach niet onderdrukken.
Caroline lachte. ‘Je lijkt echt sprekend op haar.’
Joan sloeg Tanja op haar schouder. ‘Haha, dat kan wel zo zijn, maar zingen kan ze echt niet, hoor!’
‘En bedankt!’ Tanja grijnsde en zag het gezicht van Caroline ontspannen. ‘Luister maar niet naar haar. Ze is gewoon jaloers.’ Tanja leunde naar voren. ‘Als ik echt zo op die... eh... Tanja lijk, dan kan ik misschien wel als dubbelganger aan het werk. Regelen jullie dat soort dingen ook? Ik bedoel, geld verdienen met je uiterlijk lijkt me wel wat.’
Caroline glimlachte. ‘Nee, helaas. Mijn vader doet

niets met stand-ins. Ik kan je wel de gegevens van die platenmaatschappij in Engeland geven. Kun je zelf contact opnemen.'

'Ja, dat is een goed idee,' zei Tanja. 'Dank je.'

Terwijl Hanna met haar interview begon, bekeek Tanja het meisje nieuwsgierig. Ze was aardig en lief. Te lief bijna. Haar donkere haren waren in een staart gebonden en ze was sportief gekleed in een spijkerbroek en een shirt met de afbeelding van een vrouwengezicht erop. De gekleurde armbanden pasten bij haar knalroze designhorloge. Alles was op elkaar afgestemd. Zelfs haar blauwgelakte nagels vielen niet uit de toon. Hoe kon dit meisje een dochter zijn van Claude Beaumonde? Ze leek in niets op haar vader. Wás het wel haar vader? Maar als Caroline zijn dochter niet was, dan was Tanja zelf zijn dochter. De gedachte alleen al maakte haar misselijk.

Hanna stelde de ene vraag na de andere. Over de zaak, de prognoses, de ontwikkelingen op de muziekmarkt, de verwachtingen van Claude Beaumonde over zijn opvolging. Caroline gaf overal uitgebreid antwoord op. Het meeste ontging Tanja. Haar onrust groeide. Ze moest niet denken, maar luisteren. Waarom kon ze zich niet concentreren?

Ze leek in niets op haar vader. De woorden tolden door haar hoofd en blokkeerden haar gehoor. De stemmen van Hanna en Caroline vervaagden en Tanja werd overmand door twijfels. Was er dan geen enkele gelijkenis?

Haar blik gleed naar Joan, die geïnteresseerd naar Caroline luisterde, en ze kromp ineen. Ze hadden dezelfde kledingsmaak, dezelfde houding, dezelfde uitstraling. Zelfs hun haarkleur was hetzelfde.

Tanja slikte en voelde haar ademhaling stokken. Onzin! Uiterlijk zei niets. Joan en Caroline waren allebei opgevoed met geld en voldoende personeel om zich heen. Logisch dat ze in bepaalde dingen op elkaar leken. Tanja knipperde met haar ogen. Qua karakter leek Caroline helemaal niet op Joan. Eerder op Hanna. Die was ook altijd zo lief voor iedereen. Ook die gedachte maakte haar zenuwachtig. Het uiterlijk van Joan, het lieve van Hanna. Caroline was de perfecte combi van die twee. Nee! Nee! Ze maakte zichzelf gek.

'Ben je opgegroeid in Antwerpen?' Hanna's stoel verschoof.

'Voor het merendeel wel ja,' antwoordde Caroline. 'Ik weet niet veel meer van vroeger.'

'Waar ben je geboren?'

Tanja haalde diep adem en concentreerde zich op het gesprek. Ze moest objectief blijven. *Stick to the facts*! Bij de feiten blijven.

'In Amsterdam.' Caroline glimlachte.

'Wat leuk! Wij ook.' Hanna keek naar haar papier. 'We hebben net van je vader gehoord dat je het eerste jaar van je leven bent opgegroeid bij je echte moeder.' Hanna keek op haar papier. 'Ene Anneke...'

'Anneke Verstraaten.' Caroline knikte. 'Ja, maar daar weet ik niets meer van.' Ze zuchtte. 'Maar goed ook. Ze speelt geen rol in mijn leven.'

'Nee?' Hanna bleef met een vragende blik naar Caroline kijken.

'Nee!'

Er viel een stilte. Tanja keek gespannen naar Hanna die koortsachtig naar woorden zocht om het onderwerp verder uit te diepen.

'Geen contact meer?' vroeg Hanna.

Caroline schudde haar hoofd.

'Hoe voelt dat?' Hanna wachtte even. 'Ik bedoel, zoiets vormt je toch?'

'Ja.' Caroline sloeg haar ogen neer. 'Ik heb nooit meer iets van haar gehoord. Mijn vader vond dat heel erg.'

'Dat begrijp ik.'

'Hij heeft haar gebeld, gemaild.' Carolines stem trilde. 'Hij zei dat ze niets meer van me wilde weten.'

Tanja perste haar lippen op elkaar en voelde haar hele lichaam reageren. 'En jij dan?' Het schoot eruit. 'Jij had toch ook contact kunnen opnemen met je moeder?'

De felle toon in Tanja's stem deed Caroline schrikken. 'Ik was een peuter! Tegen de tijd dat ik oud genoeg was om erover na te denken, was het te laat. Mijn vader heeft het me verteld. Ik weet niet eens of ze nog leeft en het interesseert me niet ook.'

'Dus je weet niet zéker of je moeder nooit contact heeft opgenomen.' Tanja voelde de boze blik van Hanna, maar ze zette door. 'Je hebt het alleen van horen zeggen.'

Carolines houding veranderde. Ze rechtte haar schouders en verhief haar stem. 'Mijn vader was er kapot van. Hij vond het vreselijk dat ze mij niet meer in haar leven wilde. Hoe denk je dat dat voelt voor een vader?'

Tanja wilde wat zeggen, maar Hanna was haar voor. 'En jij? Heb jij nooit de behoefte gehad om contact met haar te zoeken? Toen je ouder was?'

Caroline leunde achterover. 'Nee. Claire heeft me opgevoed en ik hou van haar.' Ze vouwde haar handen. 'Zij is mijn moeder.'

Tanja zag dat Caroline tegen haar emoties vocht en

voelde haar boosheid wegebben. Ondanks haar verontwaardiging over het gedrag van Claude Beaumonde begreep ze Carolines reactie. Dit meisje wist niet beter. Ze was opgevoed met het idee dat haar moeder haar niet meer wilde en ze was liefdevol opgenomen in het nieuwe gezin van haar vader. Natuurlijk wilde ze haar echte moeder niet zoeken. Als je je hele leven hebt gehoord dat je echte moeder je heeft verstoten, waarom zou je dan?

Caroline had werkelijk geen idee wat er vroeger gespeeld had tussen haar vader en Anneke. Ze was gelukkig nu. Haar leven was goed en ze zag Claire als haar moeder. Moest ze dit meisje uit haar comfortzone halen door haar de waarheid te vertellen? Schoot ze daar iets mee op? Tanja wilde Claude Beaumonde graag ontmaskeren, hem confronteren met zijn egoïstische gedrag en hem vertellen hoeveel pijn hij Anneke had gedaan. Maar woog dat op tegen de gevolgen? Ze zou niet alleen Claudes leven op zijn kop zetten, maar ook dat van Caroline. En die kon hier niets aan doen!

Tanja voelde weer de pijn van vroeger. Het gevoel dat je niemand hebt, dat je leven één grote leegte is en dat je er helemaal alleen voor staat. Dat gevoel gunde ze niemand. En zeker niet dit sympathieke meisje dat op het punt stond om zich in de zaak van haar vader op te werken tot toekomstig eigenaar. Haar toekomst én haar verleden lagen nu in Tanja's handen. Wat moest ze doen?

'Mis je iets in je leven?' Tanja was verrast door haar eigen vraag, maar ze wachtte gespannen op het antwoord.

'Nee, hoezo?'

'Zomaar.' Tanja glimlachte. 'Als je het echt hebt afgesloten, mis je niets.'

'Kunnen we het over iets anders hebben nu?' Caroline keek naar Hanna. 'Wat wilde je nog meer weten? Zal ik iets vertellen over mijn plannen binnen het bedrijf en de studie die ik daarvoor ga volgen?'

Tanja stond op. 'Ik denk dat we zo wel genoeg hebben.' Ze schoof haar stoel naar achteren. 'Dank je wel.' Ze wenkte Hanna, die wat verbouwereerd naar haar vragenlijst keek. 'Je hebt alles toch?'

'Eh... ja, ik geloof het wel.' Hanna begreep de boodschap, maar was duidelijk verbaasd.

'Mooi! Dan gaan we.' Tanja liep naar Caroline en stak haar hand uit. 'Succes met alles.'

'Dank je.' Caroline ging staan en schudde Tanja's hand. 'Dat was kort maar krachtig.'

'Je vader heeft ons al veel verteld,' zei Joan die nu ook was opgestaan.

'Daar is-ie goed in,' zei Tanja terwijl ze naar de deur liep. 'Heel goed.'

Hanna en Joan gaven Caroline ook een hand en liepen achter Tanja aan het kantoor uit. Marie kwam gehaast de hal in gelopen. 'Zijn de dames klaar?'

'Ja, zo zou je het kunnen zeggen.' Tanja glimlachte. 'Wil je een taxi bellen, Marie?'

Terwijl Marie een taxi regelde, opende Tanja de garderobekast. 'Als we opschieten, halen we de trein van vijf uur nog.'

'Wat is er met jou?' siste Hanna. 'Waarom wil je opeens weg?'

'Ik...' Tanja stokte en deed een stap opzij voor Marie

die de hal weer in kwam. 'Wacht maar efkes,' zei ze. 'Ik help jullie.' Marie pakte hun jassen uit de kast. 'De taxi komt er zo aan, meisjes. Drie minuutjes, zeiden ze.'

Tanja ontweek de onderzoekende blikken van Hanna en Joan. 'Dank je, Marie.'

'Ik ben benieuwd naar jullie werkstuk.' Caroline kwam de hal in gelopen en overhandigde Tanja een geel memoblaadje. 'Ik heb de gegevens van de platenmaatschappij van die zangeres voor je opgezocht. Ik zou echt eens op hun site kijken. Er staan ook wat foto's van haar op, je zult denken dat je in de spiegel kijkt. Schrikken!'

'Ik ben heel benieuwd,' zei Tanja. 'Dank je wel, Caroline.' Ze liep naar Caroline toe en legde haar beide handen op de bovenarmen van het meisje. 'Ik... eh...' Ze stokte. Ze wilde van alles zeggen, haar tegen zich aan drukken en beschermen tegen de leugens waarin ze leefde, maar de woorden kwamen niet.

'Ja?' Caroline glimlachte wat ongemakkelijk.

'Ik wens je alle geluk van de wereld toe,' zei Tanja en ze voelde haar stem trillen. 'Leef vanuit je hart, dan maak je er iets moois van.'

'Dank je,' zei Caroline ietwat verbaasd. 'Dat is lief van je.'

Tanja durfde haar zussen niet aan te kijken. Haar keel zat dicht en haar hoofd bonkte. 'Dag!' Ze liep naar de deur en stapte naar buiten. De nevel die om het huis hing sloeg haar in het gezicht en ze sloot haar ogen. Ze wilde hier zo snel mogelijk vandaan.

Joan en Hanna namen ook afscheid en even later liepen de drie meiden het pad af in de richting van de toegangspoort. Caroline en Marie stonden in de deuropening en keken hen na.

‘Waarom deed je zo?’ vroeg Joan toen ze buiten gehoorsafstand waren.

‘Hoe?’ Tanja keek op.

‘Dat weet je best!’ Joan kwam dichter naast Tanja lopen. ‘Je kapte dat gesprek opeens af. Hanna was nog lang niet klaar.’

‘Ik wel.’

‘Ja, dat was duidelijk.’ Hanna klonk ook gepikeerd. ‘Wat gebeurde er?’

‘Ze kan er niets aan doen,’ zei Tanja.

De toegangspoort ging open en ze liepen de weg op.

‘Wie?’

‘Caroline. Ik vond haar aardig.’

Hanna pakte Tanja’s arm vast. ‘O? En dat is het?’ Haar stem sloeg over. ‘We zijn helemaal naar Antwerpen gekomen voor jou om uit te zoeken hoe het zit. Ik spijbel van school, heb me grondig voorbereid op het interview, ik heb vragen opgesteld, vooronderzoek gedaan en nu flik je me dit? Omdat je haar aardig vindt?’

‘We hadden nog veel meer te weten kunnen komen,’ zei Joan. ‘Als we die fotoalbums hadden mogen inkijken, hadden we misschien bewijzen gevonden.’

Hanna schudde haar hoofd. ‘Het lijkt wel alsof je niet wílt dat we antwoorden vinden.’

‘Misschien niet, nee.’ Tanja stopte haar handen diep in haar jaszakken. ‘Luister, die Caroline weet van niets. Ze is gelukkig op de plek waar ze is.’

‘En dus?’

‘Dus kreeg ik medelijden met haar.’ Tanja beet op haar lip. ‘Ik weet hoe het voelt als je leven op zijn kop wordt gezet.’ Ze stond stil. ‘Wat schiet Caroline ermee op om te weten dat haar leven een leugen is? Dat haar moeder wel contact heeft gezocht, maar altijd door haar vader op afstand is gehouden?'

Joan en Hanna zwegen.

'Weet je...' Tanja zuchtte. 'Anneke is dood. Het maakt niets meer uit of Caroline Annekes dochter is of niet. We kunnen haar verleden niet veranderen, dus wat moet ze met die informatie? Ze wordt er alleen maar ongelukkig van. Haar moeder is ze al kwijt. Als ze nu hoort dat haar vader altijd gelogen heeft, is ze hem ook kwijt. Dat wil ik niet op mijn geweten hebben. Ik zou haar hele leven kapotmaken als ik haar de waarheid vertel. Dat kan ik niet.'

'Dus hij komt ermee weg?' Joan klonk verbolgen.

'Ja, daar komt het wel op neer,' zei Tanja. 'Maar alleen omdat ik haar wil beschermen. Ze is gelukkig nu. Het is beter zo.'

Zwijgend stonden ze bij elkaar.

'Als jij nou nooit geweten had dat je zusjes had,' zei Joan. 'Als die brief van de notaris nooit gekomen was en je dus nog steeds in dat weeshuis had gewoond.'

'Dat is heel iets anders,' zei Tanja. 'Ik kon er alleen maar op vooruitgaan.'

'O, dus omdat Caroline het nu goed heeft, hoeft ze de waarheid niet te weten?'

'Ja, zoiets, ja.' Tanja boog haar hoofd. 'Het was een gevoel daarnet. Ik kon het gewoon niet. Ze zat daar zo te stralen.'

'Je ontneemt Caroline haar moeder,' zei Joan. 'Anneke!'

'Ja, ik weet het.'

'En Anneke dan?' vroeg Hanna.

'Anneke is dood!' sprak Tanja fel. 'Dus hou op met zeuren.'

'We zeuren niet,' zei Joan. 'We proberen je te helpen.'

'En bedankt!'

In de verte kwam een taxi aangereden.

'Maar je wilt toch de waarheid weten?' vroeg Joan. 'Die engerd kan jouw vader zijn, besef je dat wel?'

'O ja, dat besef ik heel goed.' Tanja huiverde.

'Nou dan!' Hanna draaide zich om. 'We kunnen nu nog terug. Zeggen we dat we toch nog wat vragen hebben en...'

'Nee!' Tanja zette haar kraag omhoog. 'Zelfs al zou zij mij zijn, dan nog wil ik haar leven niet overhoopgooien. En het mijne ook niet.' Ze huiverde in de koude wind en kroop nog dieper in haar jas weg. 'Ik wil niets met die Claude Beaumonde te maken hebben. Die hele familie kan me gestolen worden. Júllie zijn mijn familie. Jullie zijn mijn zussen, Parrot is mijn vader en Mike is mijn broer.'

'Halfbroer,' verbeterde Hanna haar.

'Halfbroer,' mompelde Tanja. 'Maar wel mijn broer.' Ze keek vastberaden. 'Ik wil jullie niet kwijt.'

'Wij jou ook niet,' zei Joan. 'Maar dat is nog geen reden om je kop in het zand te steken?'

'Wil ik ook niet.'

'Huh? Maar net zei je nog dat je het niet wilde weten.'

'Nee, dat zei ik niet.'

'Maar...'

'Luister!' Tanja trok Hanna en Joan naar zich toe. 'We kunnen dit toch ook uitzoeken zonder Caroline erbij te betrekken? Caroline is hartstikke gelukkig met haar leventje en ik zit niet te wachten op nieuwe familie.' Ze keek naar Hanna. 'Dit gesprek is heel nuttig geweest. Echt, zonder jullie hulp had ik dit nooit zo op een rijtje gekregen. Dus het is echt niet voor niets geweest. Maar ik heb geen zin meer in vage vermoedens en angstige gedachten, daar word ik gek van. We gaan dit anders aanpakken.'

'Hoe dan?'

'Een DNA-test.' Tanja voelde de opluchting nu het hoge woord eruit was. 'Dat is het enige middel om zeker te weten wie ik ben. DNA liegt nooit.'

Joan en Hanna zwegen.

'Wat?' Tanja keek van de een naar de ander. 'Niet goed?'

'Jawel... ja...' Joan dacht na. 'Je hebt gelijk. Maar...'

'Maar wat?'

'Wat wil je met de uitslag?' Joan keek naar Hanna. 'Ik bedoel... als je het weet, wat heeft dat dan voor consequenties?'

'Wat mij betreft geen.' zei Tanja. 'Toch?' Ze schoof met haar voet heen en weer over de natte stoeptegel. Er viel een stilte en Tanja was opeens niet meer zo zeker van haar zaak.

15

Wachten

‘Dank u wel.’ Joan nam het witte doosje van de postbode in ontvangst en zette haar handtekening op het mobiele apparaat. ‘Fijne zaterdag nog.’

Ze sloot de voordeur en liep naar de trap. ‘TANJA! HANNA!’ Haar stem galmde door de hal. ‘HET IS GEKOMEN!’

Een deur ging open en Tanja stak haar hoofd over de rand van de trapleuning. ‘Echt?’ Ze stormde naar beneden en griste het pakje uit Joans handen. ‘Wat klein.’

‘Wat dacht jij dan? Dat er een verhuiswagen voor de deur zou staan?’ Joan liep achter Tanja aan de huiskamer in. Achter zich hoorde ze Hanna de trap af komen.

‘En? Hoe ziet het eruit?’ Nieuwsgierig kwam Hanna bij haar zussen staan. Zwijgend maakte Tanja het pakje open en legde de inhoud op tafel. Formulieren, plastic buisjes in folie, een handleiding, wattenstaafjes in een steriele verpakking.

‘Eerst de handleiding lezen,’ zei Hanna en ze pakte het

papier van tafel. Haar ogen vlogen over de tekst.

'Lees voor,' zei Tanja die ongeduldig naar de attributen op tafel staarde.

Hanna ging zitten. '*Met de broer-zus relatietest kan een persoon de statistische waarschijnlijkheid laten onderzoeken of een andere persoon zijn of haar broer of zus is. Zowel de combinaties broer-zus, broer-broer als zus-zus zijn mogelijk.*'

Hanna keek op. 'Ha, nu snap ik dat ze verbaasd waren bij dat centrum toen we vertelden dat we met zijn drieën waren. Ik ben blij dat we het alle drie doen. Weten we tenminste zeker dat wij ook zijn wie we zijn.'

'Of niet,' mompelde Tanja.

'Of niet inderdaad.'

Hanna haalde diep adem en las verder. '*Het* DNA-*materiaal van alle personen moet worden onderzocht. Geadviseerd wordt ook* DNA-*materiaal van biologische ouders aan de test toe te voegen, als dat mogelijk is.*' Hanna stopte met lezen. 'Dat wordt moeilijk,' zei ze.

'Ik geloof die uitleg wel,' zei Tanja. 'Wat moeten we doen?'

Hanna boog zich weer over het papier. '*Met de steriel verpakte wattenstaafjes neemt u, per deelnemer, twee* DNA-*monsters van het wangslijmvlies. De* DNA-*monsters kunt u verpakken in de bijgeleverde transportcontainers. Na analyse van de* DNA-*monsters kunnen de resultaten desgewenst direct (per e-mail of telefonisch) aan u worden doorgegeven. U ontvangt het officiële analyserapport door middel van een reguliere postzending. Naast de uitslag en het percentage waarschijnlijkheid wordt ook het unieke* DNA-*profiel van de deelnemers meegezonden.*

Indien u de uitslag graag zo snel mogelijk wilt vernemen, kunnen wij extra capaciteit vrijmaken en zijn de resultaten binnen 8, 6 of zelfs 4 werkdagen beschikbaar.'

'Dat hebben wij geregeld, hè?' Tanja voelde haar ademhaling versnellen. 'Toch?' Ze keek naar Joan, die de test via internet had aangevraagd en betaald met haar creditcard.

'Ja.' Joan knikte. 'Als we het materiaal vandaag nog versturen, kan de uitslag donderdag of vrijdag binnen zijn. Daar hebben we extra voor betaald.'

Tanja zuchtte. 'Mooi. Dan blijf ik tot die tijd hier. Ik zal Parrot vanavond bellen dat ik nog een paar dagen blijf.'

'Weet je zeker dat je hem hier niet in wilt betrekken?' Hanna legde het papier terug op tafel. 'Dit gaat hem toch ook aan?'

'En Mike,' voegde Joan eraan toe.

'Nee,' zei Tanja. 'Er is misschien wel niets aan de hand.'

'En als er nu wel wat...' begon Hanna, maar Tanja liet haar niet uitpraten. 'Dat zien we dan wel weer, goed?' Ze keek haar beide zussen aan. 'Jullie hebben beloofd het tegen niemand te zeggen. Ik eis dat jullie je aan je afspraak houden. Dit is mijn probleem en ik doe het op mijn manier.'

Er viel een stilte.

'Joan?' Tanja keek naar Joan.

'Ja, ja, beloofd.'

'Hanna?'

Hanna knikte. 'Ja, tuurlijk. We hebben het beloofd, maar ik ben het er niet helemaal mee eens.'

'Dat mag, zolang je je mond maar houdt.' Tanja pakte een van de pakjes op. 'Zullen we dan maar? Waar zit dat DNA ergens?'

'Overal,' antwoordde Hanna. 'Maar zij willen wat wangslijm.'

'Gewoon een beetje spuug dus.' Tanja gruwde. 'Dus al die kwattende mensen leggen hun DNA gewoon op straat? Lekker dan!'

De dagen gingen langzaam voorbij. De meiden hadden eindelijk de rust gevonden om samen op stap te gaan. De zaterdagavond brachten ze door op het Rembrandtplein, de zondag ging grotendeels op aan uitslapen en luieren. Joan en Hanna gingen op maandagochtend weer naar school. Tanja maakte duidelijk dat ze het prima vond om overdag alleen thuis te zijn.

'Gaan jullie morgen maar lekker naar school, dames,' zei ze zondagavond met een grijns. 'Die tijd heb ik gehad.'

En ze vermaakte zich inderdaad prima op maandag, dinsdag en woensdag. Ze merkte hoe slopend de afgelopen weken eigenlijk waren geweest en genoot nu van de rust en het nietsdoen. Het leek eeuwen geleden dat ze een dag voor zichzelf had gehad en het overlijden van Anneke had er behoorlijk in gehakt. Ze was blij dat ze nu even de tijd had om haar herinneringen een plek te geven.

Tanja deed boodschappen en kookte voor haar zussen, zodat zij hun huiswerk konden maken. 's Avonds waren de meiden gezellig bij elkaar. Ze deden spelletjes, kletsten wat of keken een film. Zelfs het bellen naar hun vriendjes liep redelijk gelijk op.

Op donderdag werd Tanja zenuwachtig wakker. Joan

en Hanna waren die ochtend al vroeg vertrokken. Ze was gelijk met hen opgestaan en had alle boodschappen voor negenen al in huis. Rond elf uur had ze de badkamer schoongemaakt, de vaatwasser uitgeruimd, gestreken en gestofzuigd. De tijd kroop tergend langzaam voorbij. Hoe laat kwam de post hier op donderdag? Moest ze nu de rest van de dag gaan zitten wachten? Misschien kwam de uitslag morgen pas.

In de middag besloot ze toch haar rondje Vondelpark te doen. Rennen maakte haar hoofd leeg. Amsterdam was een heerlijke stad om in te bewegen. Twee uur lang bleef ze weg. Tegen de tijd dat ze thuiskwam, was Hanna er al weer.

'Hé, Tan. Jij hebt je best gedaan.'

Tanja leunde met haar handen op haar knieën. 'Jij bent vroeg.' Ze hijgde. 'Was er post?'

'Alleen wat reclamebrieven.' Hanna liep naar de keuken. 'Ook thee?'

'Ja, zo. Ik ga eerst douchen,' zei Tanja. 'En omkleden.' Teleurgesteld liep ze naar boven. Morgen dus! Terwijl ze haar trainingspak in de was gooide, bedacht ze dat de uitslag ook maandag pas binnen kon komen. Maar ze had Mike beloofd om zondag thuis te zijn. Volgende week was het optreden en ze moesten het repertoire nog doornemen. Haar vlucht was al geregeld. Ze draaide de kranen van de douche open en wachtte tot het water warmer werd. Met een diepe zucht stapte ze onder de straal. Ze sloot haar ogen en liet het warme water over haar gezicht stromen.

'Gelukt?' Hanna stond in de huiskamer bij het raam en praatte zachtjes.

'Ja, ik kom er nu aan.' Joans stem klonk gejaagd. 'Was er al post?'

'Nee.'

'O, gelukkig. Tot zo.'

'Ja, tot zo.' Hanna verbrak de verbinding en leunde met haar heup tegen de vensterbank. Ze was blij dat Joan hun plan had kunnen waarmaken. Geld maakte niet gelukkig, maar het was wel handig om te hebben. En Joan had genoeg.

'Wie belde er?' Tanja kwam met natte haren de kamer in gelopen.

'Joan. Ze komt eraan.'

Tanja plofte op de bank. 'Ik ben de hele dag bezig geweest, maar als je me nu vraagt wat ik gedaan heb...' Ze haalde diep adem. 'Nietsdoen gaat ook vervelen.'

'Ja, dat heb ik in een ver verleden ook wel eens gezegd.' Hanna wees naar haar tas die bij de tafel stond. 'Drie proefwerken, een onderzoek en een scriptie.'

'Jij liever dan ik.' Tanja zakte onderuit.

'Thee?'

Tanja knikte. 'Lekker.'

Hanna stond op en liep naar de keuken.

'Komt Marc dit weekend?' Tanja trok haar benen op.

'Weet ik nog niet,' riep Hanna. 'Hangt een beetje af van hoe het hier loopt.'

Tanja staarde voor zich uit en luisterde naar de geluiden uit de keuken.

'Jij gaat zondag terug?' Hanna kwam de kamer weer in en gaf haar een glas thee.

'Ja, ik moet wel.'

Hanna ging naast Tanja zitten. 'Denk je dat we dit kunnen afsluiten?'

Tanja zweeg. Ze blies stoomwolkjes weg boven haar glas. 'Ik hoop het.'

'Dat gaat ons vast lukken,' zei Hanna.

'We zien wel, goed?' Tanja ging goed zitten. 'Sommige dingen kun je niet afdwingen. Dat weet ik maar al te goed. Misschien is het over een jaar over en uit.'

'Doe niet zo somber.' Hanna legde haar hand op Tanja's knie.

Ze hoorden de voordeur opengaan en de stem van Joan galmde door het huis. 'Joehoe, ik ben thuis!'

Tanja glimlachte. 'Gezellig.'

'We zijn hier!' Hanna leunde achterover. 'Er staat thee in de keuken.'

Even later kwam Joan de kamer in gelopen. 'Het regent.' Ze zette haar glas op tafel en kwam tussen Hanna en Tanja in zitten. 'Wat een saaie dag, zeg. Werkelijk geen enkele leerkracht heeft er vandaag iets leuks van gemaakt.' Ze ratelde door over haar dag en vertelde breeduit over haar so Frans. 'Dat mens spoort niet, hoor. Ze ging gewoon zitten bellen toen wij die brief moesten schrijven. Ik heb een klacht ingediend.'

'Is dat nou wel handig?' vroeg Hanna.

'Geen idee, maar zoiets pik ik niet. Hoe kan ik me nou concentreren als ik de hele tijd naar dat geleuter van haar moet luisteren?' Joan lachte. 'De conrector was het met me eens. Hij zou met haar gaan praten.'

'Ik denk niet dat ze je dat in dank afneemt,' zei Tanja. 'Leer mij docenten kennen.'

'Ze zoekt het maar uit,' bromde Joan. 'Hier nog wat gebeurd?' Ze keek naar Tanja die haar hoofd schudde. 'Beetje gerommeld. Geen post.'

Joan keek op haar horloge. 'Het is vijf voor vier. Het kan nog.' Ze keek naar Hanna, die knikte. 'Zeg, Tan.'

Tanja keek op. 'Ja?'

'We willen je iets geven.' Joan ging rechtop zitten.

'Wie is we?'

'Ik en Hanna,' zei Joan.

Tanja keek verbaasd. 'O?'

Joan haalde een rood hartvormig doosje uit haar zak. 'We hebben er goed over nagedacht.'

'Waarover?'

'Over ons. Ons drieën.' Joan keek naar Hanna.

'We willen je laten zien dat we echt bij elkaar horen, dat we van je houden.'

'Ja, als zus,' vulde Joan aan. 'We zijn zusjes, wat er ook gebeurt.'

Tanja wist niet zo goed wat ze moest zeggen. Waar ging dit naartoe?

'We wilden onze band bekrachtigen, wat de uitslag ook zal zijn,' ging Hanna verder. 'En daarom...' Ze knikte naar Joan die het doosje openmaakte. 'Daarom hebben we dit geregeld.'

Tanja staarde naar de drie ringen op het fluwelen kussentje. Haar mond viel open. 'Wat... wat is dit nou?'

'Drie ringen, voor ons allemaal eentje.' Joan haalde er een uit het doosje en hield die omhoog. 'Met onze namen erin. Kijk maar.'

Tanja boog voorover en nam de ring in haar hand. De sierlijke letters vormden drie namen: *Joan, Hanna* en *Tanja*.

'Doe eens om,' zei Joan. 'Ik hoop dat hij past.'

Tanja deed de ring om haar ringvinger en strekte haar

arm. 'Ooo, wat mooi.' Ze keek naar de twee overgebleven ringen in het doosje. 'En die zijn voor jullie?'

'Ja.' Joan gaf een van de ringen aan Hanna en schoof de andere aan haar eigen vinger. 'Alle drie eentje.'

'Wat lief!' Tanja voelde haar ogen prikken. 'O shoot, heb ik de hele week niet gehuild, ga ik nu toch weer.' Ze sloeg haar armen om Hanna heen. 'Dank je wel.' Ook Joan kreeg een knuffel. 'Dank je wel. Ik vind ze prachtig.'

'Het gaat om de betekenis,' zei Hanna. 'Wij horen bij elkaar.'

'MZZLmeiden,' stamelde Tanja, terwijl ze naar de ring aan haar vinger keek.

'*Best Friends Forever*,' zei Joan.

'En zusjes,' zei Hanna.

Op dat moment ging de bel. Verschrikt keken ze elkaar aan.

'Wie is dat nou?' Hanna stond op. 'Ik doe wel open.'

Tanja hield haar adem in. Ze hoorde Hanna's voetstappen in de hal en het opengaan van de voordeur.

Een zware mannenstem klonk. 'Pakje voor mevrouw Van den Meulendijck.'

16

Hanna kwam de kamer in gelopen. ‘De uitslag,’ zei ze zacht.

Joan en Tanja stonden bij de tafel en staarden naar de envelop in Hanna’s hand.

Niemand zei iets. Tanja strekte haar arm uit en Hanna overhandigde haar de brief. Zenuwachtig draaide Tanja de envelop om. Hij was gericht aan Joan. Zij had de aanvraag gedaan en betaald. Er stond geen afzender op. Was dit wel de uitslag?

‘Maak open dan,’ fluisterde Joan.

Tanja stak de envelop naar voren. ‘Hij is voor jou.’

‘Nee, het gaat over jou.’ Joan duwde de envelop terug.

‘Misschien is het wel iets anders.’

‘Wat denk je zelf?’ zei Joan.

Tanja aarzelde. Haar vingers gleden over het papier. Waarom maakte ze de envelop niet open? Een snelle beweging en ze wist het. Alle onzekerheid zou in één klap achter de rug zijn.

'Toe dan.' Hanna werd nu ook ongeduldig.

Tanja voelde haar benen trillen. 'Ik kan het niet,' stamelde ze en ze keek haar zussen een voor een aan.

Joan en Hanna staken tegelijkertijd hun ringvinger omhoog. De ringen die ze net hadden omgedaan blonken in het zonlicht dat door de hoge ramen naar binnen viel.

'Vertrouw ons,' zei Hanna.

Tanja schoof haar pinknagel onder de plakrand van de envelop. 'Zeker weten?'

Joan en Hanna knikten.

Met een ruk scheurde Tanja de envelop open. 'Willen jullie meelezen?' Ze hield de brief voor zich.

'Nee, jij eerst,' zei Joan.

Tanja vouwde het papier open en begon te lezen. Haar ogen raasden over het papier. 'Nee...' Haar armen zakten naar beneden en ze wankelde op haar benen. De brief viel uit haar handen en dwarrelde op de grond.

Joan en Hanna stonden verstijfd.

'Wat?' vroeg Joan.

Tanja vouwde haar handen. Haar ogen werden vochtig en ze perste haar lippen op elkaar. Langzaam schudde ze haar hoofd.

'Zeg het!' Joans stem trilde.

Terwijl Tanja voor zich uit staarde, raapte Hanna de brief op. Ze scande de tekst. 'Yes!' Ze kwam overeind. 'Het is waar!' Ze vloog Tanja om de hals. 'O Tan.'

'Ja, hallo!' Joan deed een stap naar voren. 'Mag ik het misschien ook weten?'

Tanja en Hanna draaiden zich om. 'We zijn zusjes!' riepen ze in koor.

'Echt?' Joan vloog op hen af.

Er brak een oorverdovend lawaai los. Joan, Hanna en Tanja gilden het uit.

'MZZLmeiden!' schreeuwde Hanna.

'*Best Friends Forever*,' brulde Joan.

'Zusjes!' huilde Tanja. 'We zijn zusjes.' Het was alsof ze opnieuw het moment beleefde waarop ze hoorde dat ze een vader en twee zussen had. 'Het is echt waar.'

Op dat moment ging Tanja's telefoon. In het scherm lichtte het gezicht van Parrot op. Tanja nam op en kon zich niet beheersen. 'We zijn zusjes!'

Aan de andere kant van de lijn klonk gekraak. 'Wat zeg je?'

'We zijn zusjes en ik ben je dochter,' riep Tanja.

Joan griste de telefoon uit Tanja's handen. 'Let maar niet op haar, hoor. Ze is knettergek.'

'Ja, net als mijn zussen,' riep Tanja en ze nam haar telefoon weer over. 'En mijn vader.' Ze haalde diep adem. 'Heb ik al gezegd dat ik van je hou?'

'Vandaag nog niet,' zei Parrot. Aan zijn stem kon Tanja horen dat hij er niets van begreep.

'Je bent de liefste vader van de hele wereld,' zei Tanja. 'Ik hou van je, pap.'

'Nou, nou, wat is er met jou aan de hand? Alles goed?'

'Kan niet beter.'

'Dus je komt zondag?'

'Ja, ik kom.' Tanja keek naar haar zussen. 'Kan Mike nog extra kaartjes regelen voor dat optreden van mij volgend weekend in Londen? Joan en Hanna komen ook.'

Joan en Hanna keken verbaasd.

'Ik weet niet of...' begon Hanna, maar Tanja liet haar

niet uitspreken. 'Vier kaartjes, of nee, doe maar vijf. Brent, Marc en Danny komen ook.'

Ze maakte een kusgeluid tegen de telefoon en lachte naar haar zussen. 'De hele familie komt. We maken er een feest van!'

Heb jij alle MZZ

978 90 261 3108 0

978 90 261 3150 9

978 90 261 3188 2

978 90 261 1153 2

978 90 261 2404 4

978 90 261 2613 0

avonturen al gelezen?

978 90 261 7750 7

978 90 261 7474 2

978 90 261 3291 9

978 90 261 3459 3

978 90 261 3222 3

978 90 261 2426 6